BYWYD YN Y COAL HOUSE

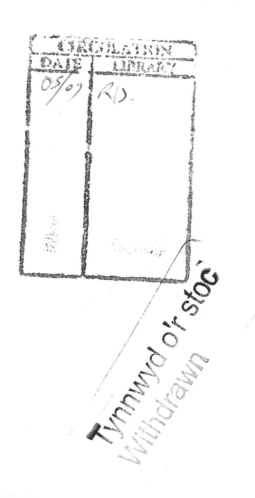

Bywyd yn y Coal House

Y TEULU GRIFFITHS

gydag Alun Gibbard

Sgiliau Sylfaenol
Basic Skills _____ Cymru

Noddir gan
Lywodraeth
Cynulliad Cymru

CYNGOR LLYFRAU CYMRU

ISBN: 978 184771025 3

Mae'r cynllun Stori Sydyn yn fenter ar y cyd rhwng Sgiliau
Sylfaenol Cymru a Chyngor Llyfrau Cymru. Ariennir y
llyfrau gan Sgiliau Sylfaenol Cymru fel rhan o Strategaeth
Genedlaethol Sgiliau Sylfaenol Cymru ar ran Llywodraeth
Cynulliad Cymru.

Argaffwyd a chyhoeddwyd gan
Y Lolfa, Talybont, Ceredigion SY24 5AP.
gwefan www.ylolfa.com
e-bost ylolfa@ylolfa.com

Y Teulu Griffiths

Y tad a'r fam
Cerdin a Debra

Y plant
Steffan, Angharad a Gethin

CYNNWYS

1. MEDDWL MYND I'R COAL HOUSE

ROEDD HI'N BNAWN SADWRN fel pob pnawn Sadwrn arall. Roedd Cerdin Griffiths, ei wraig Debra a'r plant gartre yn Aberteifi, a phawb yn brysur. Yn eistedd ar lawr yr ystafell fyw roedd Steffan, y mab hynaf. Roedd e'n gwylio'r teledu. Yn sydyn reit, dyma fe'n gweiddi'n ddigon cyffrous,

'Mam! Dere i weld hwn.'

Ond doedd Mam ddim eisiau symud. Roedd hi'n brysur a dyna'i diwedd hi.

Triodd Steffan eto. 'Mam, ma rhaid i ti weld hwn!'

Yr un ymateb eto gan ei fam. Ond fe fynnodd Steffan esbonio wrth ei fam pam ei fod e wedi gweiddi.

Roedd wedi gweld hysbyseb ar y teledu yn gofyn i deuluoedd wneud cais i fod yn rhan o gyfres newydd sbon ar BBC Cymru Wales ac roedd Steffan yn meddwl bod y cyfan yn swnio'n gyffrous iawn. Syniad BBC Cymru oedd rhoi sawl teulu mewn hen dai a gofyn iddyn nhw fyw yno fel pe baen nhw'n byw yn 1927. Dim ond 13 oed oedd Steffan, ond roedd yn meddwl bod y cyfan yn syniad ffantastig.

'Gad dy nonsens' yw'r ffordd orau o grynhoi ymateb Debra Griffiths.

'Beth sy'n gwneud i ti feddwl bod hwnna o unrhyw ddiddordeb i'n teulu ni, Steffan? Ti wir yn meddwl y gallen ni neud e? Ti'n meddwl y bydden ni'n para dwy funed heb letric, teledu, ffwrn, ffôn, car? Nage gwylie fydd e, cofia!'

Yna triodd Steffan berswadio Cerdin Griffiths. Dwedodd wrth ei dad y bydde fe'n syniad da iddyn nhw fel teulu wneud cais i fod yn y rhaglen. Aeth ei dad yn dawel. Ddwedodd e ddim gair a doedd Steffan ddim yn siŵr oedd e'n cytuno ai peidio.

Digwyddodd yr un peth 'mhen rhyw bythefnos wedyn. Unwaith eto, roedd Steffan yn barod i berswadio'i deulu. Doedd e ddim eisiau clywed y gair, 'Na.' Gwelodd Debra pa mor benderfynol oedd ei mab. Roedd yn rhaid iddi hi a Cerdin wrando mwy yr ail dro.

Trwy lwc, daeth yr hysbyseb ar y teledu unwaith eto a'r tro 'ma roedd yr holl deulu yn fwy parod i siarad am y peth wedyn.

'Dw i'n cofio yn fyw iawn,' meddai Cerdin, 'gweld hen löwr yn cerdded ac yn rhoi ei lamp lawr ar y ffordd. Roedd rhai o'n teulu ni yn y gwaith glo flynydde maith yn ôl yn gwneud yr un peth.'

'Fi'n cofio'r dyn yn eistedd ar y tŷ bach â'i drowsus rownd ei draed e.' Dyna roedd Gethin, 8 oed, yn ei gofio.

'Dyna fel rodd hi pan o'n i'n fach,' ychwanegodd ei dad. 'Ein tŷ ni yn Ffostrasol odd un o'r ychydig rai ar ôl heb dŷ bach yn y tŷ. Adeilad bach ar waelod yr ardd oedd ein tŷ bach ni, wedi'i neud mas o frics coch. A sgware o bapur newydd ar fachyn ar y wal oedd y papur toilet.'

Wrth i bawb ddweud ei bwt, dechreuodd y teulu dderbyn y syniad yn fwy ac yn fwy. Ond beth am Angharad, unig ferch y teulu? Roedd hi'n anodd gwybod beth oedd ei hymateb hi; roedd ei dau frawd mor swnllyd. Ond roedd hi'n clywed pawb yn siarad am y peth fel rhyw antur fawr ac roedd hi hefyd am gymryd rhan yn y fenter.

Yn y diwedd, ar ôl llawer o drafod, cytunodd Debra y byddai'r teulu'n cynnig i fod yn rhan o'r gyfres. Cysylltodd hi â BBC Cymru a gofyn am ffurflen gais.

'Dim ond achos bo fi'n gwbod fod dim gobaith i ni fynd trwodd. Ac er mwyn cadw pawb yn dawel. Dyna'r unig reswm pam wnes i hynny.'

Cyn hir, daeth amlen drwy'r drws a'r ffurflenni cais ynddi. Cafodd y ffurflenni eu llanw a'u postio nôl i BBC Cymru. Roedd y rhan fwya o'r teulu'n meddwl taw dyna fyddai'i diwedd hi. Gallen nhw nawr gario mlaen â byw bywyd normal fel cynt, cyn i Steffan weld yr hysbyseb ar y teledu. Fydde BBC Cymru ddim yn gofyn i'w teulu NHW fynd i fyw yn 1927.

Ond, fe ddaeth yr ateb. Dyna oedd dechrau'r broses oedd yn mynd i newid bywyd pob un o'r teulu am byth. Roedd gobaith Debra am fywyd tawel, normal ar fin mynd mas trwy'r ffenest. Roedd y teulu Griffiths wedi'i ddewis i fod ar y rhestr fer. Roedd BBC Cymru yn ystyried eu cais.

"Na'r peth diwetha ro'n i'n 'i ddisgwyl.' Roedd wyneb Debra'n dangos ei sioc.

'Ro'n i'n gobeithio na fydden ni'n ca'l 'yn dewis. Ond, ond yn dawel bach ro'n i'n dechre lico'r syniad.'

Yn sydyn, dechreuodd y teulu feddwl am 1927 a sut roedd bywyd y pryd hynny. Yn raddol bach, daeth ambell i ddigwyddiad i feddwl Cerdin a Debra. Dechreuon nhw feddwl yn fwy manwl am y math o fywyd oedd o'u blaen – hynny yw, pe baen nhw'n llwyddiannus. Roedd y plant hefyd yn dechrau holi mwy.

'Wel, beth ro'n i'n ddweud wrthyn nhw,'

dwedodd Cerdin a Debra wedyn, 'odd bod bywyd yn nhŷ Mam-gu a Dad-cu yn lot o short. Falle bydden ni'n ca'l yr un sbort. Ond bydde rhaid i ni ga'l 'yn dewis gynta ac yna bydden ni'n un o deuluoedd y Coal House.'

Yn gyntaf, roedd yn rhaid i'r teulu fynd trwy brawf arbennig. Roedd gwahoddiad i bob teulu ar y rhestr fer i fynd i Gwrt y Gollen ger Crucywel ym Mhowys, lle roedd gwersyll hyfforddi'r fyddin. Roedd y llythyr yn sôn am ddiwrnod o brofion ac ymarferion.

'Wel, 'na beth odd sioc arall,' dwedodd Debra ar ôl darllen y llythyr.

'Gwersyll hyfforddi'r fyddin! Pam ro'n ni'n moyn mynd i le fel 'na? Ac yn bwysicach fyth, beth ro'n nhw'n mynd i' neud â ni ar ôl i ni gyrraedd? Ro'n i'n teimlo rhywfaint o ofon a thamed bach o gyffro.'

Ond y noson cyn mynd i Gwrt y Gollen, roedd pawb yn ofnus iawn. Pawb yn dechrau ailfeddwl.

Falle y dylen nhw dynnu nôl.

Falle bod cael profion am ddiwrnod cyfan yn wastraff amser i'r teulu ac i'r cwmni teledu.

Beth petaen nhw'n methu?

Fydden nhw'n siomedig iawn pe bydden nhw ddim yn cael eu dewis?

Beth petai rhai o'r teulu Griffiths am fod yn y

rhaglen ond un neu ddau ddim eisiau?

Trodd y cwestiynau rownd a rownd ym mhen pob un o'r pump.

Nos Wener, cyn diwrnod Cwrt y Gollen, wrth i bawb fynd i'r gwely, roedd yn rhaid penderfynu. Mynd neu beidio mynd. Debra wnaeth grynhoi sut roedd pawb yn teimlo.

'Wel, ni'n *damned* os ewn ni, a ni'n *damned* os nad ewn ni. So, man a man i ni fynd!'

2. DECHRAU'R DAITH I'R COAL HOUSE

FELLY, YN GYNNAR AR fore Sadwrn ym mis Gorffennaf 2007, roedd y pump yn y car, yn gadael Aberteifi ac yn teithio i Grucywel, ger Aberhonddu, ac ymlaen i Gwrt y Gollen. Roedd diwrnod caled o'u blaen. Roedden nhw'n gwybod bod y cwmni teledu yn chwilio am deulu arbennig oedd yn gweithio'n dda gyda'i gilydd ac nid grŵp o unigolion amlwg a lliwgar.

Roedd pob math o brofion o'u blaen. Cwrs antur. Gwneud posau. Gwneud pethau ar eu pen eu hunain. Gweithio ar bethau fel tîm.

Debra ddwedodd sut roedd hi'n teimlo.

'Bob munud ro'n ni yno, roedd pawb yn edrych arnon ni. Ro'ch chi'n cael y teimlad bod eu llyged nhw arnon ni. A mwy o lyged pan o'n ni ond yn siarad yn naturiol gyda'n gilydd. Ro'n nhw ishe gweld shwd ro'n ni'n dod mla'n gyda'n gilydd pan o'n i'n meddwl nag oedd neb yn 'yn watsio ni.' Yna aeth ymlaen i sôn am wneud bwyd.

'Er mwyn i ni ddechre deall sut beth oedd

bywyd yn y tŷ yn 1927, fe geson ni gwcan y bwyd fel bydden nhw wedi'i gwcan e bryd hynny.'

Cwmni teledu Indus gafodd y syniad am y gyfres *Coal House* yn y lle cyntaf. Yng Nghwrt y Gollen roedden nhw eisiau gwneud yn siŵr fod pawb fyddai'n cael eu dewis yn ddigon cryf yn gorfforol i fyw fel roedden nhw'n byw yn 1927. Roedd seicolegydd yn rhan o'r tîm ar ddiwrnod y prawf er mwyn gweld oedd y teulu'n ddigon cryf yn feddyliol.

Wedi bod ar brawf am ddiwrnod cyfan, roedd y pump yn hapus iawn i fynd nôl i Aberteifi ac i'r gwely i gysgu'n braf. Roedd e wedi bod yn ddiwrnod hir a blinedig.

Unwaith eto, roedd yn rhaid 'aros'. Aros yn amyneddgar am ateb i weld oedden nhw wedi cael eu dewis. Fydden nhw cael mynd i'r Coal House go iawn?

Ymhen amser, canodd y ffôn. Roedd Indus am ddod i Aberteifi ac i gartre'r teulu i ffilmio cyfweliadau. Ar ddiwrnod y ffilmio, roedd yn rhaid i'r teulu i gyd eistedd ar y soffa yn yr ystafell fyw. Un camera oedd yno, ac un dyn sain. Cynhyrchydd y gyfres newydd oedd yn gofyn y cwestiynau.

'Ro'n nhw'n gwestiyne od iawn,' meddai Debra. 'Dim byd fel ro'n ni'n ei ddisgwyl o gwbl. Wnaethon nhw 'yn holi ni am bolitics. Am straeon ar y newyddion a pethe fel'na.'

'Do,' ychwanegodd Cerdin. 'A gofyn i ba blaid ro'n ni am bleidleisio a phopeth.'

Yna, ar ôl hyn i gyd, daeth y criw ffilmio ac un o'r tîm cynhyrchu i mewn. Eisteddodd y ferch o'r tîm cynhyrchu o flaen y teulu, ei hwyneb yn syth a dweud, *'We didn't like you...'* Ar unwaith teimlodd y teulu'n siomedig iawn, tan iddi fynd ymlaen a gorffen y frawddeg, *'... we absolutely loved you!'*

'Gobsmacked' oedd y gair aeth rownd a rownd pen Debra.

Roedd gweddill y teulu mewn cymaint o sioc, doedden nhw ddim yn gallu dweud 'run gair.

'Rhewodd 'yn meddwl i'n syth,' meddai Cerdin. 'Dim ond un gair dda'th i'n meddwl i a dw i ddim yn gallu dweud hwnnw! Dechreues i ga'l panics ynglŷn â gofyn am fis bant o'r gwaith. A gofidio beth am 'yn tŷ ni a phob math o bethe.'

'Ro'n i 'run peth â Cerdin,' meddai Debra. 'Becso am y plant yn ca'l amser bant o'r ysgol. Y peth twp yw, ro'n ni wedi trafod hyn i gyd cyn hala'r ffurflen gais bant. Ro'n ni wedi neud trefniade i ddelio gyda phob sefyllfa fydde'n codi. Ond nawr, a ninne wir yn mynd, rodd popeth yn edrych ac yn swnio mor wahanol.

17

Ro'n i'n becso am y cwcan 'fyd. Shwd bydden i'n bwydo pawb?'

Nawr, roedd popeth yn mynd i newid i Cerdin, Debra, Steffan, Angharad a Gethin.

I ddechrau roedd yn rhaid iddyn nhw gadw'r newyddion da iddyn nhw eu hunain.

''Na beth odd job i gadw newyddion fel 'na i ni'n hunen o fis Gorffennaf tan yr hydre. Doedden ni ddim fod i ddweud wrth y teulu! Mam, brodyr, chwiorydd, cymdogion. Wrth neb, a dweud y gwir.'

Fe lwyddodd y teulu i gadw eu cyfrinach. Llwyddon nhw'n rhy dda mewn gwirionedd. Cafodd chwaer Cerdin a'i gŵr alwad ffôn gan Indus un diwrnod. Roedden nhw am drafod y manylion ynglŷn â'r gyfres gyda nhw.

'Beth ddigwyddodd,' meddai Cerdin, 'odd bod ni wedi gorfod dewis pobl i siarad droston ni tra o'n ni yn y tŷ. Rodd hyn reit nôl ar y dechre. Wel, rodd y cwmni teledu am drafod gyda'n chwaer shwd bydden nhw'n neud 'ny. Ond do'n ni ddim wedi dweud wrth 'yn chwaer a'i gŵr 'yn bod ni wedi ca'l 'yn dewis. Y cynta glywon nhw am y peth oedd yr alwad ffôn honno gan Indus!'

Daeth aelodau eraill y teulu i wybod mewn ffordd dipyn mwy cyhoeddus.

'Gweld y *billboards* mawr ar ochor yr hewl

odd y tro cynta i lot o'n teulu ni ddod i wbod. Wel, chi'n ffili mynd rownd i weud wrth bawb. 'Na beth odd syrpréis iddyn nhw. Gweld llunie anferth ohonon ni'n pump ar ochor yr hewl ar y ffordd i Tesco.'

Dim ond dechrau'r cyhoeddusrwydd oedd hynny. Am y mis nesaf, roedd y teulu yn cael sylw drwy'r amser. Roedd angen eu ffilmio y tu allan i'r rhes tai lle bydden nhw'n byw am fis. Byddai hyn yn cael ei ddangos ar y teledu fel hysbýs. Roedd angen tynnu lluniau ar gyfer y papurau newydd a'r cylchgronau. Roedd 'na gardiau post hefyd, gafodd eu gadael mewn mannau cyhoeddus er mwyn tynnu sylw at y gyfres.

O'r diwedd, daeth y dydd i'r teulu fynd i'w cartref newydd yn Stack Square, Blaenafon. Dyma galon ardal diwydiant trwm Cymru ddwy ganrif yn ôl.

Rhes o fythynnod gweithwyr sydd yno nawr a Cadw sydd biau nhw. Heddiw, o gwmpas y tai, mae adeiladau modern Blaenafon. Siopau, tafarndai, neuaddau, ysgol ac yn y blaen. Mae ceir yn mynd o'u hamgylch ar bob ochr. Ond yn Stack Square ei hunan, does dim cysylltiad â'r byd mawr yna o gwbl.

Roedd tri o'r bythynnod wedi cael eu paratoi ar gyfer y gyfres. Yno byddai'r tri theulu'n byw.

Tri bwthyn, dwy stafell lawr llawr a dwy stafell lan llofft. Y tu allan, roedd un iard fawr i'r tri theulu, a dau fochyn a deg iâr mewn un cornel. Yn y fan honno hefyd roedd un pwmp dŵr. Hwn fyddai'n rhoi dŵr i bawb i wneud popeth. Doedd dim sinc tu fewn o gwbl. Y tu fas roedd rhes o dai bach roedd pawb yn eu rhannu. Ac yn yr ardd roedd pawb yn rhannu'r llysiau oedd yno – pannas, sbrowts, cennin, erfin ac yn y blaen.

Ond cyn cael mynd i mewn i'w byd newydd, roedd gwaith i'w wneud.

'Yn ogystal â thynnu llunie a ffilmio i'r cwmni teledu oedd yn gwneud *Coal House*,' meddai Cerdin, 'rodd sawl un o raglenni eraill BBC Cymru ishe gwneud cyfweliade gyda ni. Jamie a Louise. Hywel a Nia ar y radio. Y *Newyddion* a *Wales Today* ar y teledu. Hefyd cyfweliade i'r *Western Mail* a'r papure lleol. Rodd hi fel ffair. A do'n ni ddim wedi gweld tu fewn i'r tai 'to.'

Aeth y tri theulu i'r tai am y tro cyntaf pan dechreuon nhw ffilmio'r rhaglen *Coal House*. Nawr roedd yn rhaid gadael 2007 y tu ôl iddyn nhw. Roedd yn rhaid gadael popeth modern mewn bocs wrth ddrws y tŷ.

'Rodd rhaid rhoi allweddi'r car, y cardie credit a'n harian i mewn yn y bocs.'

'Hyd yn oed 'y *mobile* ffôn i!' Roedd Steffan

yn cofio'n iawn!

'Gorfod i fi roi fy modrwy dyweddïo yn y bocs. Dim ond y fodrwy briodas ro'n i'n cael ei gwisgo yn y tŷ.' Dyna oedd Debra yn ei gofio.

'A wa'th byth,' ychwanegodd Cerdin, 'rodd yn rhaid i'r pans a'r sane fynd i mewn i'r bocs 'fyd!'

A dyna nhw'n barod. Darnau bywyd 2007 mewn bocs. Bywyd 1927 yn aros amdanyn nhw mewn tŷ nad oedd ddim yn llawer mwy na bocs. Roedd yr antur ar fin dechrau.

3. DAN DDAEAR

Cerdin

DRIFO LORI YW 'NGWAITH i bob dydd, mynd ag olew i dai pobol. Ma fe'n deimlad grêt i fod mas ar yr hewl yn mynd o un lle i'r llall a gweld rhanne o Gymru sy'n agos iawn at 'y nghalon i. Yng Ngheredigion ces i ngeni a'm magu. Dw i'n treulio'r rhan fwya o'n amser ar hewlydd y sir ac yn cwrdd â lot o bobol wahanol yn eu tai a dw i'n byw mas yn yr awyr iach.

Sioc odd cal gwybod tra bydden i'n byw yn Stack Square, Blaenafon, yn 1927 taw o dan ddaear y bydden i'n gweithio. Ro'n i'n gwbod hynny o'r dechre wrth gwrs pan drion ni fynd i mewn i'r gyfres. Ond mater arall odd wynebu'r peth yn iawn dros 'yn hunan.

Rodd meddwl am y peth yn iawn. Ond pan dda'th y fenyw o'r cwmni teledu a dweud wrthon ni bo ni wedi ca'l 'yn dewis, dyna'r tro cynta i fi ddechre sylweddoli y bydden i'n wir yn gorfod gweithio dan ddaear. Rhywbeth rodd pobol eraill yn siarad amdano fe odd gweithio dan ddaear cyn hynny.

Wrth i ni ddechre dod dros y sioc o ga'l 'yn dewis, fe drodd y fenyw ata i a dweud,

'You're claustrophobic, aren't you Cerdin?'

Yn sydyn reit, rodd rhaid i fi wynebu hyn a dim ond y fi alle wynebu'r peth.

Ro'n i wedi bod yn meddwl am bethe cyn hynny. Pethe pwysig fel tynnu 'nheulu oddi wrth eu bywyd bach cyffyrddus a mynd â'r wraig a'r tri o blant nôl i fyw bywyd fel rodd e yn 1927. Odd hwnna'n beth iawn i' neud?

Beth fydden i'n dweud wrth y bòs? 'Na beth arall odd ar 'y meddwl i. Bydden i bant o'r gwaith am dros dair wythnos. Unwaith eto, ro'n i wedi gofyn am ganiatâd cyn trio bod ar y gyfres. Ond, nawr rodd yn rhaid mynd ato fe a gofyn o ddifri. Ro'n i wedi ca'l 'yn dewis i fynd i'r Coal House, ac rodd e'n mynd i ddigwydd. Ar ôl dweud wrtho fe, beth fydde fe'n gweud wrtha i? Gobeithio yn fawr na fydde fe'n 'yn gwrthod ni, a ninne wedi ca'l 'yn dewis.

Cymaint o feddylie! Pob un yn mynd rownd a rownd yn 'y mhen o'r funud gynta clywon ni. Pob un yn dal yn 'y mhen i ac yn aros yno am ddyddie wedyn.

Cafodd pob un broblem ei hateb yn syth. Rodd y bòs yn ddigon hapus i fi ga'l yr amser yn rhydd. Buodd e'n grêt a dweud y gwir, ac rodd hynny'n bwyse mawr oddi ar fy ysgwydde

i. Ond rodd sawl un ar ôl ac un ohonyn nhw'n arbennig...

Y clawstroffobia! Wel, 'na chi broblem. Shwd ma dyn ag ofon llefydd bach, cul, tywyll yn mynd i weithio mewn pwll glo?

Practis, dyna beth odd ishe. A dyna beth bues i'n trio gneud yn ystod yr wythnose rhwng clywed i ni ga'l 'yn derbyn a'r diwrnod y symudon ni miwn i'r tŷ. Trio dod yn gyfarwydd â'r syniad. Dim trwy weithio mewn pwll glo. Na. Ond mewn sawl ffordd fach yn ystod y dydd a'r nos. Y peth gore helpodd fi odd rhywbeth mor syml â dechre arfer newydd o godi i fynd i'r tŷ bach yn y nos. Yn lle codi, rhoi'r gole mla'n i fynd i'r tŷ bach, dechreues i godi a mynd drwy'r tŷ yn y tywyllwch. Syml ond effeithiol! Nid ei fod wedi cael gwared ar y clawstroffobia. Bydde fe'n cymryd lot mwy na neud rhywbeth mor syml â 'ny! Ond dyna'r dechre.

Pan dda'th y diwrnod i ni symud i'r tŷ, fe anghofies i'n llwyr bod yn rhaid i fi weithio o dan ddaear. Rodd cymaint o bethe newydd a gwahanol i ddod yn gyfarwydd â nhw.

'Dad, beth yw hwn?'

'Dad, ble ma'r tŷ bach?'

'Dad, pwy sy'n cysgu ble?'

Ar ben y cwestiyne hyn rodd cwestiyne Debra. A wedyn sialens fwya mywyd i yn Rhif 6 Stack

Square, sef cynnu'r tân a'i gadw fe ynghynn. Ond caiff Debra ddweud y stori 'na! Am amser hir, dodd dim amser i feddwl am 'y nheimlade i fy hunan. Erbyn diwedd y noson ar y diwrnod cynta, ro'n i wedi anghofio mod i'n mynd i weithio mewn pwll glo.

Yna fe ddaeth y neges, llythyr wedi'i roi dan y drws. Fe ges sioc ofnadw. Rodd y llythyr yn dweud bod yn rhaid mynd i'r gwaith y bore wedyn.

Fel pawb arall sy gartre ac yn codi i fynd i'r gwaith, dw i'n dihuno ac yn troi'r gole mla'n yn syth. Hyd yn oed cyn bo fi'n dihuno, mae'r gwres canolog wedi dod mla'n. Galla i gerdded ar lorie gyda charpedi o dan draed, ca'l cawod iawn a molchi'n ofalus. Bydd brechdane'n barod yn y ffrij i fi fyta amser cinio yn y gwaith. Debra wedi'u paratoi y noson cynt. A brecwast yn barod mewn dwy funed. Mewn â fi i'r car wedyn ac mewn dim o amser dw i yn y gwaith, yn sych a chynnes. Patrwm digon naturiol a chyffredin.

Dim yn Stack Square yn 1927. Pan godes i yn y fan honno, rodd y llawr yn oer dan draed. Rodd pobman yn ddu bitsh a dodd dim un switsh ar y wal yn gallu newid hynny. Dodd dim sicrwydd bod y tân yn dal ynghynn, ac os nad odd e, dodd dim dŵr twym i molchi na chwcan brecwast na gwneud paned. Fydde byth digon o amser i dwymo'r dŵr cyn i fi fynd i'r gwaith, felly bant â fi i'r pwll glo fel ro'n i pan godes i. Heb frecwast, cofiwch. Ond, diolch byth, rodd y dynion eraill gafodd eu derbyn i'r Coal House yn yr un sefyllfa â fi!

Buodd yn rhaid i Debra godi 'run pryd â fi er mwyn dechre ca'l trefen ar y tŷ cyn i'r plant godi. Rodd angen ca'l y brechdane'n barod i fi ar gyfer amser cinio, a Debra fydde'n gwneud 'ny. A phan fydde'r tân wedi diffodd dros nos, Debra fydde'n ei gynnu fe erbyn i'r plant godi. Hi fydde'n paratoi brecwast i'r plant ac wedyn eu hanfon nhw i'r ysgol.

Alle dim byd 'y mharatoi i ar gyfer y siwrne i'r gwaith. Codi am chwech er mwyn cerdded dros dair milltir a bydde'r un pellter wrth gwrs 'da fi i gerdded yn ôl ar ddiwedd y dydd. Anodd credu bod pobol yn gorfod gwneud hynna bob dydd o'u bywyd gwaith. Rodd yn dipyn o ymdrech a 'na'r gwir. Fis Hydre odd hi a'r tywydd yn ddim help yn y byd i godi'n calonne ni ar 'yn ffordd i'r gwaith. Dim cyment falle ar y diwrnode cynta gan fod elfen o newydd-deb yn perthyn i'r peth. Ond i neud milltiroedd ychwanegol o gerdded ar ben pob shifft waith, wel, rodd y cyfan yn ymdrech ac yn boen yn amal. Fel yna digwyddodd hi.

Ond, nid fel 'na ro'n i wedi dychmygu'r daith
i'r gwaith Ro'n i wedi meddwl y bydden ni'n
ca'l 'yn ffilmio wrth i ni ddechre ar 'yn ffordd
i'r gwaith a'r camera'n 'yn dilyn tan i ni fynd
mas o'r golwg. Yna, yn fy nychymyg i, bydde
car yn mynd â ni ar hyd gweddill y ffordd. Taith
gysurus, pawb odd yn byw yn yr un rhes tai yn
mwynhau cwmni ei gilydd. Yna'r car yn 'yn
gollwng jyst mas o'r golwg a ni'n cerdded i'r
pwll yn jocan 'yn bod wedi blino ar ôl cerdded
mor bell. Ond dodd dim rhaid i ni jocan o gwbl!
Rodd y bore cynta 'na'n sioc ofnadw.

Ac wrth gwrs, er mwyn cerdded y fath bellter,
rodd yn rhaid gadael y tŷ dipyn yn gynt na
mynd i'r gwaith gartre. Rodd diwrnod gwaith
y pwll glo orie'n hirach achos rodd rhaid rhoi
amser i gerdded i'r gwaith.

Dyn o'r enw Mr Blanford odd yn berchen
ar y pwll, sef pwll drifft Blaentyleri Rhif 2.
Mae'n bwll glo sy'n dal i weithio heddi. Yn
1927, bydde 160 o bylle drifft yn yr ardal a 30
o bylle shafft. Bydde pob pwll yn gweithio'r
naw gwythïen o lo. Mr Blanford odd y bòs am y
cyfnod ro'n i yno. Ar ddechre pob shifft bydde
fe'n sefyll wrth y gât yn aros amdanon ni ac ar
y diwrnod cynta, fe geson ni stŵr am fod yn
hwyr. Dechre da! Ond fe ges i lot mwy o shiglad
pan ddechreuodd e sôn am 'yn gwaith ni.

Rodd rhaid i ni ga'l hyfforddiant ar y diwrnode cynta. Dod yn gyfarwydd â'r twls. Deall sut odd gweithio. Wedyn, dealles i fod y pwll yn bwll isel iawn. Dan ddaear, dodd dim posib sefyll ar 'ych traed i weithio. Rodd wyneb y glo yn gan llath o hyd. Ond y newyddion gwaetha odd taw dim ond dwy droedfedd a chwe modfedd odd yr wyneb yn y man isa. Dim ond tair troedfedd a chwe modfedd odd yr wyneb beth bynnag, a bydden ni'n gallu gweithio ar ein penglinie os bydden ni'n lwcus. Wel, fe ddechreuodd yr ofne fagu wedyn 'te!

Do'n i ddim yn gwbod a o'n i'n moyn mynd lawr dan ddaear cyn gynted â phosib er mwyn ca'l y peth drosodd. Neu a o'n i am oedi cyn mynd lawr gan obeithio y bydden i'n dod yn gyfarwydd â'r syniad! A dweud y gwir, ches i ddim dewis. Cyn bo fi'n gwbod ro'n i'n cerdded gyda'r dynion eraill lawr i fola'r ddaear yn barod i dorri glo.

Ro'n i'n cofio digon o'r gwersi hanes i wbod bod gweithio o dan ddaear yn waith peryglus iawn, yn enwedig yn y blynyddodd cyn yr Ail Ryfel Byd. Ro'n i wedi clywed rhai aelode o'r teulu'n adrodd straeon am ddamweinie o dan ddaear ac am rai o'r glowyr yn ca'l eu lladd. Rodd hwnna yng nghefen 'yn meddwl i wrth fynd ati i weithio yn ystod y diwrnod cynta dan ddaear. Ond pan ddechreuodd y gwaith go iawn, yn llythrennol y gwaith caib a rhaw, dodd dim amser i feddwl am unrhyw beth ond ca'l y glo mas o'r graig.

Cyn gwneud hynny rodd yn rhaid cropian am ryw 50 metr i gyrraedd yr wythïen. Ac yna dechre gweithio. Ymhen dim amser, da'th llais Mr Blanford yn gweiddi arna i, '*Come on Cerdin!*' Dodd e ddim yn credu mod i'n tynnu mhwyse. Des i'n gyfarwydd â chlywed 'i lais e.

Rodd y tâl am ddiwrnod o waith yn dibynnu ar faint o lo ro'n i wedi'i roi yn y dramie. Gallen i ddisgwyl 10 swllt o dâl am wyth neu naw tunnell y dydd. Ond, os bydden i'n torri llai, bydden i'n mynd â llai o arian gartre. Rodd Mr Blanford yn cadw llygad ar waith pob un ohonon ni. O'r tri ohonon ni odd yn rhan o'r Coal House, bydde un yn gallu ennill mwy na'r llall. Rodd hwnna'n anodd i'w dderbyn. Yn fy job bob dydd, ma pawb sy'n neud yr un job â fi yn ca'l eu talu'r un peth â fi. Ond nid dyna odd y sefyllfa o dan ddaear yn 1927.

Rodd y gwaith yn galed a fawr o gyfle i ga'l hoe. Ceibio'r glo mas o'r wyneb, ei gasglu a'i rhofio i'r dramie, yna gwthio'r dramie at y ffyrdd lle ro'n nhw yn ca'l eu tynnu mas i'r awyr agored. Rodd yn waith corfforol iawn a gwybed ym mhobman yn mynd ar 'y nerfe i.

Ar ben hynny rodd pwyse ar 'y meddwl o wbod bod y tâl yn dibynnu ar faint o lo ro'n i'n ei gynhyrchu. Bod faint o fwyd y gallen i roi ar y ford i'r teulu yn dibynnu ar faint o arian bydden i'n ennill. Ma hwnna'n bwyse mowr.

Chwarter awr o frêc o'n ni'n ei ga'l yn ystod y shifft. Cyfle i fyta bara a thamed bach o fenyn, darn o gaws, sleisen o deisen lap a phicen. Am fod arian yn dynn i rai o'r dynion eraill, bara a trecl oedd y cyfan ro'n nhw'n ei ga'l. Dŵr oedd y peth gore i' yfed, neu de oer i rai; rodd hi mor dwym o dan ddaear. Bydde'r bwyd i gyd yn ca'l ei roi mewn bocs a hwnnw'n cau yn dynn. Wedyn, fydde'r llygod mowr ddim yn gallu ca'l gafel yn y bwyd!

Ond i fi beth bynnag, rodd un fantais i'r ffordd 'ma o weithio. Diflannodd y clawstroffobia bron yn llwyr ar ôl tipyn. Dodd dim amser i feddwl amdano fe. Ro'n i wedi ymladd y peth. Chi'n clywed y selebs 'ma sy'n mynd ar *I'm a Celebrity... Get Me Out Of Here!* yn dweud eu bod nhw am fynd i'r jyngl i wynebu eu hofne. Wel, fe wnes i hynny yn Blaentyleri No. 2. Ambell waith rodd 'y meddwl i'n crwydro ac ro'n i'n teimlo'n hunan yn dechre becso lle ro'n i.

'Yffach, ma mynydd ar 'y mhen i.'

Dw i'n cofio dweud hynny unwaith a cha'l tipyn o banics. Ond diolch byth, mynd wna'th

y clawstroffobia ac rodd e'n deimlad arbennig
o dda.

4. AGOR Y DRWS

Debra

ALLEN I DDIM DWEUD dim byd pan gerddes i mewn trwy ddrws Rhif 6 Stack Square am y tro cynta. Dim ond ailadrodd 'O *my God*!' ddwsine o weithie wrth gerdded rownd â 'ngheg i ar agor. Ambell waith da'th brawddeg wahanol mas fel,

'So ni i gyd yn mynd i ffito i mewn fan hyn, odyn ni? Pump ohonon ni?' Un peth yw mynd i weld tŷ tebyg yn rhywle fel Sain Ffagan ond peth arall yw cerdded rownd a gwbod taw dyma lle y bydd rhaid i ni neud ein cartre am bron i fis. Dyma'n tŷ ni, 'yn cartre ni.

Yn gynta sylwes ar y pethe odd ddim 'na. Dodd dim o'r pethe sy mewn cartre modern heddi. Dim peiriant golchi dillad. 'Na beth weles i gynta. A'r peiriant golchi dillad odd yn bwysicach na dim, bron. Bydde'n rhaid cwcan ar y lle tân, rodd hwnna'n amlwg. A da'th yn glir yn gynnar iawn taw'r lle tân odd calon y tŷ. Rodd y lle tân yn un slabyn mawr du yn y wal yng nghanol yr ystafell. Ac yn yr ystafell hon bydde pob un ohonon ni'n byw a bod pan fydden ni ar ddihun. Os nad odd y tân ar gynn dodd hi ddim yn bosib ca'l dŵr twym na gwres. Felly, allech chi ddim gwneud dim heb gynnu tân.

Cynnu'r tân amdani 'te. Jobyn oedd yn swno'n ddigon rhwydd. Ond, nid fel 'na buodd hi. O na. Am hydoedd, y cyfan welodd pawb oedd pen-ôl Cerdin yn stico mas o flaen y lle tân. Rodd e ar ei benglinie yn trio dechre cynnu'r tân. Torri glo, torri coed tân, rhwygo papure, rhwygo unrhyw beth alle ddechre rhyw fath o dân yn 'yn grât ni. Aeth y cyfan yn fwy ffrantig wrth i ni ffili cynnu'r tân dro ar ôl tro. Eisteddes i yno, yn y gadair ar ganol y llawr yn edrych arno fe mewn syndod. Dodd dim byd fel petai'n gweithio o gwbl.

Yn sydyn reit cydiodd Cerdin yn y fegin odd wrth ochr y lle tân. Gwthiodd y fegin drwy fariau'r tân a dechre gwasgu *full pelt*. Rodd lot o aer yn diflannu i rywle a lot o chwythu. Cerdin yn chwythu mwy na'r fegin! Ond dda'th dim unrhyw sbarc o'r lle tân. Codes o'r gadair, yn wan, ro'n i'n chwerthin cymaint. Pwyses i ar gefen Cerdin a dyma Cerdin yn dechre chwerthin wedyn, nes bod y ddou ohonon ni'n dala pwyse'n gilydd ac wrthi'n chwerthin fel ffyliaid. Ro'n i wir yn ofon glwchi'n hunan, ro'n i'n chwerthin shwd gymaint.

'Os na siapwn ni'n eitha clou, tost fydd i swper heno,' meddwn i. Rodd y ddau ohonon ni'n teimlo'n dost wedi chwerthin cymaint. Yna sylweddolon ni na fydde tost hyd yn oed yn bosib heb dân.

Wedi blino'n lân yn disgwyl i Cerdin lwyddo, cymeres i drosodd. Rhoies i'r un faint o egni i mewn i'r gwaith. Yr un ymdrech. Ond eto i gyd dodd dim byd yn cydio chwaith. Tra o'n i wrthi, rodd Cerdin yn sefyll y tu ôl i fi'n gweiddi,

'C'mon baby, c'mon baby!' Sa i'n siŵr ai â fi odd e'n siarad neu siarad â'r tân.

O'r diwedd, cydiodd y tân. O'r funed 'na, rodd hi'n hollol amlwg taw cadw'r tân ar gynn oedd 'yn prif dasg. Beth bynnag arall odd yn rhaid gneud, y tân odd yn dod gynta. Sdim rhyfedd bod llun yn 'y mhen i ers pan o'n i'n blentyn, o hen wragedd yn yr ardal o le dw i'n dod, yn eistedd wrth y tân am orie. Edrych mas trwy'r ffenest a phroco'r tân ar yr un pryd. 'Nes i ddim dechre deall yn iawn pam eu bod nhw'n gwneud hynny nes i ni ga'l y frwydr ofnadw 'na i gynnu'r tân yn Rhif 6 yn y dyddie cynta hynny. Ond ar ôl byw yn y tŷ am bron i fis, fi'n deall yn iawn erbyn hyn. Rodd cadw'r tân ar gynn yn meddwl bod gwres yn y tŷ, bod dŵr twym ar ga'l a bod bwyd ar y ford i'r teulu.

Ond un peth yw gwbod pa mor bwysig yw

tân, peth arall yw deall shwd ma'i ddefnyddio fe. A fe ffindes i mas mewn ffordd sydd hyd yn oed heddi'n dal i godi cywilydd arna i.

Pan odd dynion wedi bod yn gweithio'n galed drwy'r dydd dan ddaear, rodd disgwyl bod bwyd ar y ford iddyn nhw ar ddiwedd y dydd pan fydden nhw'n cerdded i mewn trwy'r drws. Er mwyn gneud hynny, rodd yn rhaid rhoi'r cig i mewn yn y ffwrn yn ddigon cynnar iddo fe gwcan yn iawn. Dim problem. Rodd yn rhaid i fi godi am hanner awr wedi chwech neu o leia cyn saith bob bore. Ac ar fore Llun, i mewn â'r cig i'r ffwrn. Ac wrth gwrs, rodd y ffwrn yn rhan o'r tân. Mae'n siŵr 'da fi bod Cerdin wedi edrych mla'n at bryd da o fwyd drwy'r dydd.

Ond pan dda'th e mewn i'r tŷ ar ôl cwpla gweithio, dodd dim byd ar y ford.

'Ble ma'r bwyd?' gofynnodd e wrth gerdded draw at y ffwrn i ga'l pip. Rodd y siom yn amlwg ar ei wyneb e.

'Sori, Cerdin. Fi wedi neud popeth gallen i. Ond smo fe'n barod.'

'Be ti'n feddwl? Ma fe miwn ers bore 'ma.'

Agorodd e ddrws y ffwrn a gweld bod y cig yn dal yno – yn binc. A dodd y cig ddim yn barod y diwrnod ar ôl hynny, na'r diwrnod wedyn chwaith. Tri diwrnod i rostio darn o gig! Y broblem odd cadw'r tân ynghynn yn y grât drwy'r dydd, ie. Ond hefyd cadw'r tân yn ddigon cynnes i neud ei waith. Gwers arall.

O ganlyniad i'r holl ffys 'da'r tân, sylweddoles pa mor lwcus 'yn ni, yn gallu byw fel ry'n ni heddi. Yn wir o'r diwrnod cynta fe gryfhaodd y teimlad 'ma. Ac fe gryfhaodd bob dydd wrth i ni fyw yn y Coal House. Un peth wna'th i fi weld hynny yn fwy na dim odd pan odd rhaid i Steffan, y mab hyna, fynd o dan ddaear. Dim ond tair ar ddeg a hanner odd e. Ond rodd ei weld e'n mynd i fyd dynion mawr i weithio yn neud i fi deimlo dros y mamau a'r tadau nôl yn 1927. Dodd dim dewis 'da nhw. Allen nhw ddim cynnig unrhyw ffordd arall o fyw i'w meibion. Dodd dim dewis gyrfa arall ar ga'l. Lawr â ti i'r pwll, gwd boi, a dere â'r arian nôl i ni. 'Na shwd odd hi. Creulon!

Dath hi'n amlwg yn eitha clou bod angen cadw trefen weddol fanwl ar y diwrnod. Yn syml iawn, dyna'r unig ffordd y gallen ni fyw. Pan gyrhaeddon ni'r tŷ, rodd llyfr ar y ford i'n helpu i wbod shwd odd bywyd yn ca'l ei drefnu nôl yn 1927. Ac fe dda'th un gair yn amlwg iawn, trefen! Rodd yn rhaid ca'l trefen ar yr wythnos a threfen ar bob munud o bob dydd. Ac fe alla i ddweud wrthoch chi nawr, rodd hwnna'n sialens.

Yn ôl y llyfr, bydde diwrnod arferol teulu

glöwr yn 1927 yn dilyn patrwm tebyg i hyn. Codi am 6.30 y bore er mwyn paratoi brecwast erbyn 7.00 – os oedd y tân yn dal ynghynn. Cerdin odd y cynta i ga'l ei frecwast. Fel arfer toc o fara a dishgled o de, neu ambell waith uwd a the. Clirio'i frecwast e ac wedyn bant â fe i'r gwaith.

Cyfle i fi ga'l brecwast wedyn, cyn rhoi sylw i'r plant. Paratoi eu brecwast nhw am 7.45 a dihuno'r tri ohonyn nhw am 8.00. Rhwng 8.00 a 8.30, bydde'r plant yn bwyta'u brecwast ac yna'n cerdded i'r ysgol.

Cyn gynted ag ro'n nhw wedi mynd i'r ysgol, clirio llestri brecwast. Gwaith tŷ wedyn tan 11.30, yna amser paratoi cinio i'r plant. Rodd rhaid ca'l pryd o fwyd iawn i'r plant, cinio twym. Bydden nhw'n dod gartre i ginio bob dydd. Ar ôl i'r plant fynd nôl i'r ysgol, rodd cyfle i wraig y tŷ ga'l ei chinio hi. Clirio wedyn a dechre paratoi pryd o fwyd arall i'r plant erbyn y bydden nhw'n dod nôl o'r ysgol ar ddiwedd y dydd.

Ar ôl i'r plant gwpla'u bwyd, rodd ishe bwyd ar ŵr y tŷ wedi iddo fe ddod o'r pwll. Rodd yn rhaid iddo fe ymolch a newid cyn ca'l bwyd. Felly rodd angen dŵr twym arno fe. Clirio odd y gwaith nesa, clirio unwaith 'to. Ac yna cyfle i'r fam ga'l rhywbeth i' fwyta. Bydde hi'n tynnu at 7.30 y nos erbyn hynny, a'r plant yn dechre sôn am swper. Dim rhyfedd bod pawb yn y gwely erbyn 10.00 ac yn cysgu'n sownd.

Digon tebyg odd patrwm 'yn bywyde ni yn Rhif 6 i batrwm bywyd pawb arall yn y Coal House. Fydde popeth ddim yn mynd yn ôl y drefen drwy'r amser, fel ry'ch chi wedi dechre gweld yn barod.

Un peth arall rodd rhaid dod yn gyfarwydd ag e odd y pwmp dŵr yn y clos tu fas. Rodd y tri theulu yn Coal House i fod i ddefnyddio'r pwmp rhyngddon ni. Rhaid dweud ei fod e'n ddŵr ffres, glân, a'i fod e wastad ar ga'l. Ond dodd e ddim yr un peth â chael dŵr o'r tap yn y tŷ. Ac er bod dŵr ar ga'l, rodd pwyse arnon ni i safio cymaint ohono fe ag rodd yn bosib. Os odd modd defnyddio'r dŵr at rywbeth arall, yna dylid ei gadw fe mewn sosban wrth law, rhag ofon.

Ac am olchi dillad, wel, sa i'n gwbod beth i' ddweud! Rodd ca'l dillad yn wyn yn fonws, a dodd neb yn y cyfnod 'na yn gwbod beth odd 'whiter than white'. Ma llwch glo yn rhywbeth mor frwnt, ac yn mynd yn ddwfwn i mewn i ddillad. Ar ôl eu sgrwbo nhw am orie mewn dŵr a sebon, rodd ishe eu rhoi nhw mas ar y lein ar y clos i sychu.

Un nosweth, a fi'n ishte yn y tŷ, yn neud rhywbeth wrth gwrs, clywes i sŵn tu fas. Codes a mas â fi trwy'r drws fel bollt. Dyna lle rodd y moch yn tynnu dillad oddi ar y lein ac yn gneud eu gore i fyta ambell bilyn. Cafodd un eitha blas ar bâr o flwmers odd 'da fi ar y lein. Ac os nad o'n nhw wedi llwyddo i fyta'r dillad, ro'n nhw wedi'u tynnu nhw drwy'r mwd. Wrth i fi redeg rownd ar ôl y moch a thrio cydio yn y dillad ar yr un pryd, dyna lle rodd y plant y tu fewn i'r cwt mochyn yn chwerthin yn braf. Y diawled!

Wrth gwrs rodd y plant yn chwerthin yn iach. Ro'n inne'n methu stopio chwerthin 'fyd nac yn gallu rheoli'n hunan. A do, fe lwches i'n hunan. 'Na bâr arall o flwmers i'w golchi. Am rai dyddie, buodd yn rhaid i fi fynd o bytu'r lle heb flwmers nes i'r hen bâr ga'l eu golchi a'u sychu.

Digwyddodd hyn, diolch byth, cyn i ymwelydd arbennig gyrraedd ein tŷ ni. Daeth cnoc ar y drws un noson, a phawb yn ishte'n gyfforddus rownd y tân.

'*Mrs Griffiths please.*' Rodd dyn mawr tal, dieithr yn sefyll wrth y drws.

'*Yes,*' medde fi, '*can I help you?*' Dodd dim syniad 'da fi pwy odd e.

'*I understand you've got some lodgings here. I'm Mr Michael, the new school-teacher.*'

Wel, dodd dim syniad 'da ni beth i'w ddweud.

Dodd Cerdin a fi ddim hyd yn oed wedi trafod ca'l lojer. Wel, dodd dim amser i drafod hynny nawr. Rodd e wrth y drws. Rodd wynebe'r plant yn bictiwr wrth feddwl am ga'l yr athro'n byw 'da ni. Beth ro'n i fod i' neud? Tries i ennill tamed bach mwy o amser.

'Wel, I don't know if we've got room for you. Let's have a think…'

A chyn bo fi'n cwpla, ma Cerdin yn agor ei ben.

'Yes, there's a spare bed downstairs in the back…'

'Oh, that's marvellous, thank you very much.'

A daeth Mr Michael yn lojer aton ni. Ceg arall i'w fwydo. Diolch Cerdin, wedes i'n uchel. Dangoses i'r stafell iddo fe ac rodd e wrth ei fodd. 'Na beth odd golwg ar wynebe'r plant am weddill y noson. A fi hefyd, mae'n siŵr. Gymaint o wahanol bethe'n mynd trwy feddwl pawb ar ôl jyst un cnoc ar y drws.

Ar ddiwedd y dydd, rodd ishe pwyso a mesur. Gwaith ychwanegol ac arian ychwanegol. Gwaith ac arian. Gwaith ac arian. Ocê, arian enillodd y dydd. Dodd dim dowt y bydde 7s. 6c ychwanegol bob wythnos yn help mawr.

A dyna fel buodd hi. Rodd dyn dieithr yn byw yn 'yn tŷ ni. Dodd e ddim yn siarad Cymraeg a fe odd athro'r plant. Grêt!

5. DRAW I'R PWLL

Steffan

TAIR AR DDEG A hanner oed o'n i pan es i mewn i'r
Coal House. Fi welodd yr hysbyseb ar y teledu
gynta a fi odd ishe i ni fynd i mewn i'r tŷ. Ma
lot wedi gofyn i fi ers hynny pam ro'n i mor
awyddus i fod yn rhan o'r gyfres. Dodd e ddim
byd i' neud â mynd ar y teledu mewn gwirionedd
er taw cyfres deledu odd hi wrth gwrs. Ond, i fi
rodd e'n fwy i' neud â gweld shwd bydden ni fel
teulu yn gallu byw trwy rywbeth fel 'na. Rodd
hi'n sialens, rhywbeth na fydde lot o bobol
eraill yn dymuno mynd trwyddo fe ac yn lot o
sbort 'fyd.

Fe ges i siom ofnadw bron yn syth ar ôl mynd
i mewn i'n tŷ ni yn Stack Square. Rodd Mam a
Dad wedi penderfynu y byddwn i'n mynd i'r
ysgol gydag Angharad, fy chwaer, a Gethin, fy
mrawd. Dodd hynny ddim yn rhan o nghynllun
i o gwbl. Ma'r ddou'n ifancach na fi. Ond nid
dyna beth odd y broblem. Cyn mynd i'r tŷ, ro'n
i'n benderfynol o ga'l gweithio dan ddaear yn y
gwaith glo. Dyna ro'n i am wneud.

Yn y tŷ drws nesa i ni rodd bachgen 14 oed, Ryan. Rodd e'n ca'l mynd i'r pwll gyda'i dad, Richie. Na'th hynny bethe'n wa'th i fi. Ro'n i'n ffrindie 'da fe, ac rodd e'n ca'l bod 'da'r dynion a fi'n gorfod aros 'da'r plant. Ces i sawl sgwrs am hyn gyda'n rhieni.

'Ond dyw hi ddim yn deg, Mam. Ma Ryan yn ca'l mynd. Chwech mis sydd rhyngon ni.'

'Ie, Steffan, ond ma chwech o blant 'da'i rieni fe ac ma'n rhaid iddyn nhw ennill cymaint o arian ag sy'n bosib er mwyn bwydo pawb. 'Na pam ma fe'n ca'l mynd lawr i'r pwll. A beth bynnag, ti'n styried gyment o waith caled yw bod yn löwr? Ma fe'n beryglus 'fyd.'

'Dim siawns, gwd boi!'

Dad yn meddwl ei fod e wedi cwpla'r ddadl.

Ac fel 'na rodd hi am sbel. Sen i'n gwbod 'ny cyn mynd i'r Coal House sen i ddim wedi bod ishe mynd o gwbwl. 'Na gyd gallen i neud odd bwrw mla'n â phethe gore gallen i. Ac rodd Osprey yn help.

Un o'r ieir oedd Osprey. Ro'n ni i gyd fel plant yn chware mas ar y clos drwy'r amser ac rodd chwarae gyda'r ieir yn sbort. Ro'n ni i gyd yn nabod pob iâr erbyn y diwedd. Ac Osprey oedd yr enw roies i ar 'yn un i.

A'th Dad mas i fwydo'r ieir un bore, a gweles i 'nghyfle. Gwthies i fe i mewn i'r sied ffowls a chloi'r drws y tu ôl iddo fe. Wel, rodd pawb yn neud sbort am ben Dad ac yn chwerthin yn ddi-stop. Yn enwedig pan ddechreuodd e golli'i amynedd a dechre gweiddi a rhegi. Dodd Mam fawr o help i Nhad druan. Da'th hi mas a neud sbort am ei ben e gyda ni. Dechreuodd hi siarad â fe fel pe bai hi'n siarad â'r ieir.

'C'mon Cerdin, clwc, clwc, clwc...'

'Gadwch fi mas o fan hyn, y diawlied...' Rodd e'n gweiddi a bango ar ochor y sied nes bod yr ieir yn rhedeg bant a phawb arall yn bango'r sied o'r tu fas. Dyna un digwyddiad dorrodd rywfaint ar undonedd 'y mywyd i.

Yn yr ysgol, yn y wers hanes, fe fuon ni'n dysgu am y pylle glo yn ne Cymru. Ceson ni hanes am ddamwain ofnadw ym mhwll Senghennydd pan gafodd dros 400 o ddynion a bechgyn eu lladd. Honno odd y ddamwain waetha erioed yn holl bylle Cymru, medde fe.

'That was only 14 years ago and it happened only down the road from here. And some of the boys killed were your age,' medde Mr Michael gan bwynto bys yn syth ata i.

Dw i'n credu ei fod e'n trio codi ofon arna i a gneud ei ore i stopio fi rhag mynd i weithio gyda'r dynion yn y pwll. Ond wna'th e ddim gweithio.

Ro'n i'n dal i sôn wrth Dad mod i ishe mynd

lawr y pwll. Tries i ddadl arall un diwrnod a fi'n credu bod y ddadl honno wedi neud iddyn nhw ddechre newid eu meddylie.

'Ma Dad yn ca'l deg swllt am bob shifft. Galla i ga'l pum swllt. Ma hwnna'n lot o arian ecstra i ni bob wythnos, on'd dyw e?'

Wna'th Mam a Dad ddim cytuno'n syth. Ond ro'n i'n gallu gweld eu meddylie nhw'n dechre newid. Mam ddwedodd,

'Ry'n ni wedi penderfynu, Steffan, 'yn bod ni'n mynd i dy dynnu di mas o'r ysgol a gadel i ti fynd i'r gwaith 'da Dad.'

Ro'n i wrth 'y modd! Rodd Dad yn dal i drio neud yn siŵr bo fi'n deall beth odd y gwaith a pha mor galed odd e ac yn y blaen. Ond ro'n i wir yn edrych mla'n, ac yn ysu am weld y diwrnod cynta!

Codes i'n gynnar a dechre cerdded tua'r pwll. Buodd Ryan a fi'n trafod y gwaith ar hyd y ffordd. Trafod arian a pha fath o waith bydden ni'n neud. Rodd hi'n od gorfod cerdded i bob man. Fel arfer, gartre yn Aberteifi, Mam yw'r tacsi. Ond rodd tair milltir, neu'n fwy tebyg i bedair milltir, i'r pwll yn antur.

Yn 1927 go iawn, bydden ni, fechgyn, dan ddaear yn gweithio 'da'r glowyr go iawn. Ond, dodd rheole heddi ddim yn caniatáu i ni neud hynny. Ar yr wyneb buon ni'n gweithio wedyn, yn clirio glo ac yn gwahanu'r glo a'r cerrig. Pan dda'th y cyflog, rodd e'n llai na phum swllt yr wythnos. Ar ôl cwpwl o ddyddie dechreuodd pethe newid – y nofelti'n dechre diflannu, a bod yn onest. A do, buodd yn rhaid i fi ddweud ar ôl sbel y bydde'n well 'da fi fynd nôl i'r ysgol. Ro'n i'n meddwl y bydden i'n teimlo'n fwy o ddyn yn mynd i weithio bob dydd. Gneud gwaith dyn yn lle bod yn yr ysgol 'da'r plant. Ond nid fel 'na odd hi. 'Nes i ddal i fynd i'r gwaith ac rodd y ffaith mod i'n ennill arian yn beth da. Ond dw i'n credu ces i'r hyn fydden i'n ei alw heddi yn *reality check*!

6. DAMWAIN YN Y PWLL

Cerdin

AR DDIWEDD UN DIWRNOD, da'th neges frys fod damwain wedi digwydd a bod angen help ar ddyn odd wedi'i anafu. Rodd tomen o lo wedi cwmpo arno fe. Rodd yn amser mynd adre a'r gwragedd yn aros amdanon ni. Bydde'r swper yn barod ar y ford. Ond rodd yn anrhydedd i ni ga'l 'yn dewis i fod yn un o'r tîm achub. Troeson ni nôl am y pwll a helpu'r gore gallen ni. Rodd yn rhaid gweithio dan bwyse hollol wahanol i arfer gan fod to'r pwll wedi cwmpo ar ben rhai o'r gweithwyr. Rodd pawb gafodd eu claddu o dan y rwbel yn saff ac wedi dod i'r lan. Heblaw am un odd ar goll. Ein gwaith ni odd dod o hyd iddo fe. Mae gwaith dan ddaear yn tynnu pobl at ei gilydd, ro'n wedi gweld hynny ers y cychwyn. Ond rodd damwain fel hyn yn tynnu pawb yn agosach fyth gan fod bywyd glöwr yn y fantol.

Defnyddion ni bopeth odd ar ga'l i glirio'r cwymp. Pob twlsyn odd wrth law a hefyd ein dwylo. Dodd dim amser i feddwl am y gwragedd nôl gartre yn becso lle ro'n ni. Mae'n siŵr eu bod nhw'n meddwl pob math o bethe. Hyd yn oed yn meddwl bod un ohonon ni wedi bod mewn damwain yn y pwll. Neu bod damwain o ryw fath wedi digwydd wrth gerdded nôl dros y brynie. Ar ôl cyrraedd gartre, fe ddeallon ni taw dyna'n union beth odd wedi bod yn mynd trwy eu meddylie. Rodd pob teulu wedi bod yn becso o ddifri amdanon ni. Ond, rodd yn rhaid i ni ganolbwyntio ar y perygl o'n blaene ni o dan y ddaear.

"Na fe! Drychwch! Fi wedi'i ffindo fe. Mae 'i goes e'n stico mas draw fan'na!'

Draw â ni i gyd wedyn er mwyn symud y glo a'r prenne a'r cerrig odd wedi cwmpo ar ben y dyn. Rodd yn rhaid gweithio'n gyflym ond yn ofalus. Llwyddon ni i'w ga'l e'n rhydd a gweld ei fod e'n fyw er bod clwyf cas ar ei goes. Wedyn, y sioc o sylweddoli bod angen cario'r dyn ar stretsher drwy'r twnneli cul. Rodd hi'n ddigon anodd i fi symud yn ôl ar hyd y twnneli. Nawr rodd corff rhywun arall gyda ni, rhywun wedi'i anafu a hwnnw'n gorff dyn mawr. Cwlffyn o foi! Buon ni'n chwysu llawer a'r anadl yn fyr wrth i ni dynnu'r dyn mawr a'i wthio ar yr un pryd. Ro'n ni ishe gwneud yn siŵr na fydden ni'n gwneud ei anaf e'n waeth.

Erbyn i ni ei ga'l e at ben y pwll, rodd hi'n

hwyr iawn. Ond, ar ôl bod trwy'r fath brofiad, rodd yn rhaid i ni neud un peth. Galw am beint cyn mynd adre. I mewn â ni i'r dafarn a 'na beth odd peint hyfryd. Fe awgrymodd ambell un falle y bydde'r gwragedd yn becso.

'*Forget about your wives*,' medde'r tafarnwr. '*You deserve this.*'

Cytunodd pawb a throdd un peint yn ddau ac yn... a chyn i ni sylweddoli, roedden ni wedi bod yn y dafarn am awr a hanner. O diar! Cerdded adre wedyn a wynebu'r gwragedd. Bydden nhw'n gwbod i sicrwydd i ni fod yn y dafarn ond fydden nhw ddim yn gwbod dim pam ro'n ni'n hwyr.

'Faint wariest di yn y dafarn?' Llais Debra yn canu fel cloch yn 'y nghlustie i.

Dodd dim ots bo ni wedi achub y dyn odd wedi'i anafu. Bo ni wedi dod â hwnnw mas yn saff o'r pwll a hynny o fan eitha peryglus. Dim ots ein bod ni wedi safio bywyd rhywun. Y cwestiwn pwysig odd, 'Faint wariest ti ar gwrw?'

'Dau swllt,' odd yr ateb i gwestiwn swrth Debra. Es i'r gwely'r noson honno yn dawel bach. Dodd neb yn siarad â fi!

Y bore wedyn rodd popeth nôl i normal, diolch byth. Bant â fi i'r gwaith unwaith 'to. Ond teimlad hollol wahanol odd cyrraedd y gwaith y bore hwnnw. Rodd Mr Blanford yn aros amdanon ni gyda newyddion drwg.

'Sorry boys, we've lost an order. No work underground today.'

Fe fwrodd ei eirie fe ni fel carreg. Dim ond gwaith cynnal a chadw ar y wyneb oedd ar ga'l. Ac yn waeth byth, doedd dim digon o waith ar yr wyneb i ni gyd. Richie odd y fforman, a gofynnodd Mr Blanford iddo fe ddewis rhwng Joe a fi i weithio gyda fe. Bydde un ohonon ni'n gorfod mynd adre. Trwy lwc dewisodd e fi ac rodd yn rhaid i Joe fynd adre.

Ro'n i'n lwcus bod Richie wedi 'newis i. Ond rodd y ddau ohonon ni'n teimlo'n flin iawn dros Joe. Cytunodd y ddau ohonon ni y bydden ni'n edrych ar ôl 'yn gilydd ac na fydde neb yn mynd heb ddim. Bydde'n rhaid helpu'r dynion i gyd. Druan â Joe, rodd e wedi colli lot o waith o dan ddaear beth bynnag, achos y cwt ar ei fys e. Rodd e eisoes wedi ennill tipyn yn llai o arian na Richie a fi. Nawr fydde fe'n ennill dim byd o gwbl am y diwrnod hwnnw.

Pan gas e'r cwt ar ei fys, ma rhaid cyfadde i fi neud lot o sbort am ei ben e. Bydde'r teulu'n mwynhau ngweld i'n dynwared Joe yn gofyn am waith. Bydden i'n dal bys tost, yn fandej i gyd, lan yn yr awyr. Nawr, ro'n i'n teimlo braidd yn euog mod i wedi gwneud hynny, ac ynte wedi colli'i waith.

Y diwrnod wedyn rodd sioc gwaeth yn aros Richie a fi. Wedi cerdded i'r pwll fel arfer, dodd dim sôn am Mr Blanford. Rodd y gât ar glo ac arwydd wedi'i glymu arno. '*Mine Closed. Come Back Tomorrow.*' Dim gwaith. Dyna deimlad ofnadwy. Teimlad gwag. Teimlad o bwyse trwm iawn ar 'yn ysgwydde ni. Sut gallen i ddweud wrth Debra? Sut ro'n i'n mynd i ga'l digon o fwyd ar y ford i'r teulu? Beth am y rhent? Dodd dim byd amdani ond cerdded nôl adre'n syth a rhannu'r newyddion drwg gyda'r teulu.

Pan glywes i nad odd gwaith i fi fe gymres i fe'n bersonol iawn. Ond fe ddysges ar ôl dod mas o'r Coal House bod 24,000 wedi colli'u gwaith yn ne Cymru yn 1927. Rodd 'y nheimlade i'n rhai cyffredin iawn y flwyddyn honno. Faint o deuluoedd odd wedi wynebu probleme ofnadwy oherwydd i'r pylle golli archebion? Faint a'th trwy sefyllfa lot gwa'th na fi? Ond, wrth gerdded nôl gyda Richie, dodd meddwl am sefyllfa eraill ddim yn gwneud unrhyw wahaniaeth o gwbwl. Fy sefyllfa fi fy hunan odd ar fy meddwl i. Fy ngwraig i a 'mhlant i.

Ychydig o amser cyn i'r gwaith yn y pwll ddod i ben, rodd Steffan y mab wedi dod yno i weithio. Dim ond tair ar ddeg odd e, ond rodd ishe mwy o help i gynnal y teulu. Felly, da'th Steffan mas o'r ysgol a dod i'r pwll i ennill arian. Bydde pecyn cyflog arall yn dod i mewn i'r tŷ wedyn. Teimlad digon od oedd ca'l cwmni'r mab ar y ffordd i'r gwaith. Fydden i byth yn ca'l yr un profiad pe baen ni gartre ac yn byw bywyd arferol. Ond, er ei fod yn beth da iddo fe fod gyda ni'r dynion ac yn gorfod cerdded i'r gwaith, teimlade cymysg odd 'da fi o wbod shwd waith oedd yn y pwll. Gwaith ar yr wyneb fydde gan Steffan, ond eto i gyd, rodd e'n mynd i weithio yng nghanol byd oedolion. Dodd hynny ddim yn rhan o gynllun ei dad ar ei gyfer.

Y diwrnod dewisodd Richie'r fforman fi i weithio gyda fe, dodd dim gwaith i Steffan ac rodd rhaid iddo fe fynd nôl adre. Gwaith cynnal a chadw gafodd Richie a fi'r diwrnod hwnnw. Cadw'r gwaith i fynd erbyn bydde'r pwll yn ca'l mwy o archebion. Eto i gyd, rodd llais Mr Blanford yn dal i fod yn glir iawn yn 'y mhen i,

'Come on Cerdin. You've only got half a shovel full there.'

Rodd e ar 'y nghefn i drwy'r amser!

Y bore wedyn, nôl i'r pwll a wynebu ail ddiwrnod o waith cynnal a chadw. A gwaeth byth, rodd Mr Blanford yn gofyn i fi am arian i dalu am y twls ro'n i'n eu defnyddio. Doedd

51

dim arian 'da fi. Mor syml â hynny! Whare teg i Richie. Fe ddwedodd e y bydde fe'n gneud yn siŵr sen i'n talu dros gyfnod o ddyddie. Rhoddodd ei air e drosta i fel fforman, ac fe dderbyniodd Mr Blanford ei air e.

Dodd dim gwaith o gwbl y diwrnod wedyn. Ar ôl cerdded yr holl ffordd, rodd rhaid troi nôl a mynd adre. Do'n i ddim yn hapus o gwbl. Dwedes y bydden i'n hoffi rhoi coten i Mr Blanford yn y fan a'r lle. Rodd amser caled go iawn o'n bla'n ni nawr. Cyfnod o weld faint o nerth ac ysbryd odd gyda ni i gadw i fynd. Ro'n i'n teimlo'n siomedig iawn ac yn fethiant. Fi odd yn gyfrifol am roi bwyd ar y ford. Do'n i ddim yn gwbod sut y byddwn i'n ymateb pan na fydde arian yn dod i mewn i'r tŷ. Pa mor aml bynnag ro'n i a phawb arall yn dweud nad 'yn bai ni odd e, rodd teimlad od yn y stumog. Ro'n i'n gwbod y bydde llai o arian yn y tŷ i brynu bwyd yr wythnos honno. Ar Debra y bydde'r pwyse o drio bwydo pawb ar yr arian odd gyda ni.

Mae'n od dweud hyn, ond pan golles i ngwaith ro'n ni'n meddwl fel y bobl odd yn byw yn 1927. Yn aml iawn, wrth gerdded nôl a mla'n i'r gwaith, bydden ni'n gweld ambell arwydd o fywyd 2007. Ceir fel arfer, yn mynd heibio yn y pellter oddi tanon ni. Dw i ddim yn cofio un tro i ni'r dynion ddweud bod gweld y ceir wedi neud i ni feddwl am fynd nôl i fyw 'yn bywyd arferol. Fel arall, a dweud y gwir. Ro'n ni gymaint yn rhan o fywyd 1927, rodd y ceir yn edrych yn bethe od, annaturiol, nad odd yn perthyn i'n bywyd ni o gwbl.

Daeth cnoc ar y drws un prynhawn. Yno rodd Mr Blanford a dau arall o'r pwll. Ces i ofon. Ofni'r gwaetha gan fod cymaint o ddynion yn colli'u gwaith yn y pwll. 'Ni sy nesa,' odd yr unig beth a'th trwy feddwl Richie, Joe a fi. Galwodd e'r tri ohonon ni mas i sefyll yn yr iard o'i flaen e. 'Ma ni off, *firing squad* yw hwn! Ond diolch byth, newyddion da oedd 'da fe. Rodd archeb mawr wedi dod i mewn ac rodd e ishe pawb nôl yn y gwaith. Haleliwia!

Dyna beth odd archeb, 40 tunnell o lo a hynny mewn wythnos! Llanw 40 dram. Rodd hynny'n dipyn mwy na faint ro'n ni wedi'i gloddio cyn hynny. Gyda'r fath dasg o'n bla'n ni, tybed shwd fydden ni'n tri'n tynnu at ein gilydd? Rodd ychydig o densiwn rhwng Joe a fi ynglŷn â faint o waith rodd y ddau ohonon ni'n gallu ei wneud. Rodd Joe am brofi ei hun ar ôl colli cymaint o waith. Hefyd, Joe a fi odd yr hyna o'r tri, y ddau ohonon ni yn 'yn pedwardege. Yn 1927 go iawn, fydde'r glowyr ddim yn dal i weithio yn y pwll yr oedran hynny. Bydde ugain mlynedd a mwy o weithio mewn lle mor fach, tywyll, damp a llawn llwch wedi gadael ei ôl. Bydde nifer wedi marw, a'r lleill wedi gorfod stopio gweithio. Felly, rodd y ddau ohonon ni ishe profi'n hunen. Gyda chymaint o waith o'n bla'n, rodd yn sicr yn mynd i'n profi ni!

Yng nghanol un shifft a ninne'n symud glo fel 'sa dim fory i ga'l, bues i mor dwp â gofyn i Mr Blanford allen i ga'l brêc. Wel, fe roies i esgus da iddo fe mhrofocio i wedyn.

'*Any excuse not to work, Cerdin!*'

A Joe, sy'n hynach na fi, yn edrych draw yn ddigon bodlon taw fi odd wedi gofyn, nid fe.

Ond, o ddifri, dodd methu ddim yn opsiwn. Buodd y tri ohonon ni'n gweithio'n galed ac yn ddi-stop a do's dim amheuaeth bod hynny wedi'n tynnu ni'n tri'n agos at 'yn gilydd. Yn wir fe glymodd e ni fel tîm. Hanner ffordd trwy un shifft, fe ddechreues i ganu emynau fflat-owt dan ddaear.

Rodd glowyr eraill yn gweithio yn Blaentyleri No 2 yr un pryd â ni. Glowyr 2007 yn defnyddio dullie 2007. Ar y dechre, do'n nhw ddim cweit yn siŵr beth i' neud ohonon ni. Wedi'r cyfan, rhaglen deledu odd wedi'n rhoi ni yn y pwll. Falle bo nhw'n credu nad odd diwrnod o waith ynon ni a taw jocan fydde'r cwbwl a whare i'r camerâu. Ar ddiwedd yr wythnos cloddio 40 tunnell, fe lwyddon ni, y tri ohonon ni, i roi popeth i mewn i'r shifftie ola. Ro'n ni'n derbyn yn llwyr y realiti bod yn rhaid i ni gwrdd â'r targed. Yn wir, dyna'r cyfnod mwya cynhyrchiol i ni yn y gwaith glo.

Ar ddiwedd yr wythnos honno, rodd e'n deimlad balch iawn i weld y lleill, y glowyr go iawn, yn 'yn derbyn ni. Teimlad mwy balch odd clywed Mr Blanford yn dweud,

'You can deservedly call yourselves miners now!'

Pan y'ch chi'n dod o dde Cymru, ma clywed rhywbeth fel 'na yn fwy na jyst geirie i ddweud 'ych bod chi wedi gwneud yn dda. Ma fe yn cysylltu chi gyda grŵp o ddynion sbesial iawn.

7. YR IFANCA YN Y TEULU

Gethin

FI OEDD YR IFANCA yn 'yn teulu ni yn y Coal House. Wyth mlwydd oed o'n i'n mynd i fyw yn y tŷ yn Stack Square. Dodd 'da fi ddim syniad beth i'w ddisgwyl cyn mynd mewn. Rodd 1927 mor bell nôl i fi, ro'n i ffili meddwl amdano fe. Rodd e'n swno'r fath o le bydde *Doctor Who* yn mynd i mewn iddo fe!

'Ble ma'r toilet?' 'Na'r peth cynta ofynnes i pan es i mewn i'r tŷ. Dodd dim toilet i'w weld yn unman. Naeth Dadi blygu lawr a phigo poti lan o dan y gadair a dweud,

"Ma dy doilet di.'

O'n i'n ffili ei gredu fe. Dau boti odd gyda ni rhwng y pump ohonon ni yn y tŷ. Un diwrnod dw i'n cofio clywed sgrechen yn dod o lawr llawr. Hanner chwerthin, ond yr hanner arall ddim yn chwerthin chwaith. Rodd dŵr yn dod lawr trwy'r *ceiling* ar ben y bobol yn y stafell fyw lawr llawr. Rodd rhywun, sa i'n siŵr pwy, wedi pisho lan llofft ac wedi miso'r poti ac rodd y

56

dŵr wedi mynd lawr trwy'r cracs yn y *ceiling*!

Dodd dim lot o le i redeg rownd y tŷ a dodd e ddim yn cymryd yn hir i neud 'ny. Rodd y tŷ mor fach. Es i dan y gwely a dweud taw dyna lle ro'n i am gysgu, ond 'nes i ddim cysgu 'no. Dw i'n falch o un peth, ta beth. Rodd pawb wedi penderfynu cysgu yn yr un stafell wely. Dadi, Steffan a fi yn y gwely dwbl, a Mami ac Angharad yn y gwely sengl. Rodd e'n dwymach fel 'na. Dw i'n credu bod ar rai ohonon ni damed bach o ofon, yn enwedig ar y dechre. Pyjamas trwchus yn llawn streips odd 'da Dadi, Steffan a fi. Cyn mynd i gysgu rodd pawb yn gweiddi nos da wrth ei gilydd yn y tywyllwch. Ro'n i'n mynd rownd pawb yn eu tro.

'Nos da. Caru ti Mam, Dad, Steffan, Angharad!'

Y bore cynta, rodd hi'n ofnadw codi mewn tŷ mor oer. Popeth yn dywyll a diflas! Cwmpes i lawr y stâr y bore cynta 'na 'fyd. Do'n i ddim yn gyfarwydd â ffindo'n ffordd rownd tŷ a ninne'n byw mewn byngalo yn Aberteifi.

Yn y tai drws nesa i ni, rodd dau deulu arall. Dwy ferch mewn un tŷ, ac ro'n nhw'n henach na fi. Yn y tŷ arall rodd chwech o blant a rhai ohonyn nhw'n ifancach na fi. Achos bod cymaint o blant rodd digon o gwmni 'da fi. 'Nes i ffrindie gyda'r ieir 'fyd. Es i ag un i mewn i'r tŷ

57

w dangos i Mam ac ma llun i' ga'l ohono i'n magu'r iâr honno.

Ar ôl setlo i mewn, rodd yn rhaid i ni fynd i'r ysgol, pob un ohonon ni yn yr un dosbarth. Rodd desg yr un gyda ni a phawb yn ishte ac yn wynebu'r ffrynt. Fan 'na odd yr athro yn sefyll i'n dysgu ni. Rodd hi'n od ca'l gwersi yn Saesneg ac rodd hynny'n neud pethe'n anodd. Ond beth odd waetha odd y ffaith bod yr athro mor gas. Rodd e'n gweiddi lot ac yn strict iawn ac ynte'n byw gyda ni yn y tŷ. Rodd Mr Michael yn wahanol iawn yn y dosbarth i'r hyn rodd e yn y tŷ.

Mewn un wers, ro'n ni'n adrodd y '*tables*'. Na beth odd yr athro'n eu galw nhw. Do'n i ddim wedi gweld rheiny erioed o'r blaen. Gofynnodd e gwestiwn i fi.

'*Gethin, what's five times five?*'

'Nes i rewi pan na'th e ofyn hynny i fi. Edryches lawr ar fy mysedd a dechre trio cyfri. Ro'n i'n meddwl falle gallen i ddod o hyd i'r ateb fel 'na. Gwaeddodd e arna i.

'*Don't use your fingers, boy. Or I'll chop them off!*'

Gartre wedyn ar ôl ysgol, nes i lefen achos ei fod e wedi dweud shwd beth. Ac wrth gwrs, rodd yr athro yn dod nôl i'r un tŷ â fi. Ro'n i'n llefen a fynte yn yr un stafell. Rodd hynny'n anodd iawn. Do'n i ddim am fynd nôl i'r ysgol, ond dwedodd Mam bod yn rhaid i fi. Dwedodd hi y bydden i'n dod yn gyfarwydd â'r ffordd ro'n nhw'n neud pethe yn 1927. Rodd popeth arall yn y tŷ yn iawn. Ro'n i'n hoffi byw yno er bod rhai pethe'n od ac yn wahanol iawn, ond yr ysgol – hwnna odd yn ofnadw.

Wedyn digwyddodd un peth nad odd neb yn ei ddisgwyl. Es i'n dost. Ro'n i wedi bod tamed bach yn dost reit ar y dechre. Bues i'n sic lot. Dw i'n cofio Mami'n conan bod hi ddim yn gallu ca'l y dillad yn lân. Rodd marc lle bues i'n sic yn dal ar y dillad. Ond, es i'n dost wedyn ac fe ges i frech yr ieir, a phawb yn meddwl bod hwnna'n ddoniol achos bod ni wedi neud cymaint o ffrindie gyda'r ieir.

Ond, dodd e ddim yn ddoniol bod yn dost yn y Coal House. Pan o'n i yn yr ysgol gynradd nôl gartre yn Aberteifi, rodd rhai o'r plant wedi ca'l brech yr ieir. Achos ei bod hi'n gwbod y bydden i'n mynd i'r Coal House, rodd Mam wedi 'nghadw i gartre o'r ysgol rhag ofn i fi ei ga'l e a'n stopo ni fynd ar y rhaglen. Do'n i ddim yn cwyno, cofiwch!

Rodd pawb yn meddwl bod y plan wedi gweithio am sbel, achos dodd dim byd yn bod arna i. Ond, yn y diwedd fe dda'th ac rodd e'n ofnadw. Ro'n i'n troi a throi yn y gwely ac yn llefen drwy'r amser. Ac yn wa'th na dim, do'n i ddim yn gallu mynd mas i chwarae gyda'r plant eraill – na gyda'r ieir!

Rodd Mami yn magu lot arna i ac yn canu i fi ar yr un pryd. Ond rodd hi'n neud un peth do'n i ddim yn fodlon iddi wneud. Rodd hi'n trio crafu'r spots. Fydde hi ddim yn crafu'n galed iawn, ond ro'n i'n becso y bydde hi'n tynnu'r spots bant a gadel marcie ar 'y nghefen i.

Do'n i ddim yn hapus o gwbwl pan gafodd pawb noson sbesial mas yn y sinema a finne ddim yn ca'l mynd. Rodd Mami yn gorfod dala fi'n dynn yn y stafell wely wrth i fi gicio a sgrechen gweiddi mod i ishe mynd gyda phawb arall i'r sinema. Ond ches i ddim mynd o gwbl. Ar ôl iddyn nhw ddod nôl, dwedodd Steffan taw *silent movie* odd hi. Dodd neb yn siarad ar y sgrin ac rodd dyn yn chwarae miwsig y ffilm ar biano yn y sinema. Od! Ro'n i'n falch wedyn nad es i, er y bydde hi wedi bod yn neis ca'l noson mas gyda phawb arall.

Des i i lico'r uwd ro'n i'n gorfod byta i frecwast yn y bore. Gofynnes i beth arall odd ar ga'l ond dwedodd Mam nad caffi odd Rhif 6. Yn y dyddie 'na, dwedodd hi, fod pawb yn byta beth odd ar ga'l. Wel, rodd yr uwd cynta ges i yn ofnadw. Dodd dim blas arno fe o gwbwl, yn wir rodd e fel byta gliw. Ond, dysges i bod rhoi

siwgr arno fe'n help. Ac wedi'r diwrnod cynta
hwnnw, byddwn i'n rhoi llwyth o siwgr dros yr
uwd bob bore.

8. DATHLU PEN-BLWYDD Y DEUGAIN

Debra

Fɪ'ɴ ꜰᴀʟᴄʜ ɪᴀᴡɴ ᴏ ddweud bod y stof a fi wedi dod yn ffrindie ar ôl rhai dyddie. Ro'n i wedi dechre dod i ddeall pethe, diolch byth. Rodd bwyd yn barod ar y ford wrth i Cerdin ddod i mewn trwy'r drws ac rodd bwyd i'r plant amser cinio ac amser te 'fyd.

Dychmygwch y sioc 'te, un noson, pan dda'th Cerdin i mewn â llond côl o barseli papur newydd. Deallodd y plant yn syth.

'Hwre! *Brilliant*! *Fish* a *chips*!' medde'r tri gyda'i gilydd.

Suddodd 'y nghalon i. Rhoies i 'mhen yn fy llaw a dechre pregethu.

'*For God's sake*, Cerdin! Beth sy'n bod arnot ti, ychan?'

Dodd e ddim yn deall pam ro'n i fel'na.

'Cerddon ni mas o'n ffordd i nôl rhein fel *treat*. Drycha faint ti'n ga'l. Bargen, ychan.'

'Dw i wedi gweithio'n galed drwy'r dydd i

baratoi'r stiw 'ma i ni i gyd. Dw i wedi cwcan rhai *sausages*. Dw i ddim yn galler credu hyn.'

Rodd y plant yn clatsho bant gyda'u *fish* a *chips* erbyn hyn.

'Gwyrth! Gwyrth!' medde Angharad. Rodd hi'n neud i'r holl beth swnio fel sen ni'n bwydo'r pum mil gyda'r bara a'r pysgod.

'Neith y bwyd 'yt ti wedi'i neud gadw tan fory,' medde Cerdin yn trio bod yn neis.

'Ma cig moch 'da fi erbyn fory!'

Mae'n rhaid dweud, er mod i'n deall pam ei fod e wedi mynd i nôl y bwyd i ni, ro'n i wedi ca'l 'yn siomi. Yn y diwedd, troies i ato fe a gweiddi,

'Iawn. Ond pam na set ti wedi 'n ffonio i weud 'te...?'

Sylweddoles i hanner ffordd trwy'r frawddeg a byrsto mas i chwerthin cyn joio'r *chips* a'u byta nhw 'da pawb arall.

Un peth arall odd yn dipyn o sialens wrth drio byw fel rodd pobol yn byw 80 mlynedd nôl odd yr effaith rodd e'n ga'l ar Cerdin a fi. Gŵr a gwraig 2007 o'n ni pan aethon ni mewn i'r tŷ. Ond nawr ro'n ni'n gorfod byw fel gŵr a gwraig yn 1927 am bron i fis. Diddorol! 'Na gyd alla i weud.

Bryd hynny, rodd beth odd y dyn fod i' neud

a beth odd y fenyw fod i' neud mor set. Lot
yn wahanol i fel ma pawb yn byw heddi. Fel y
gwragedd yn 1927, do'n i byth yn mynd mas o'r
tŷ neu o leia ddim yn mynd ymhellach na'r clos
o flaen y tŷ. Dodd dim amser. O'r funud ro'n
i'n codi yn y bore tan y funud ro'n i'n mynd i'r
gwely, rodd popeth yn gorfod gweithio rownd
pawb arall. Bydde Cerdin mas o'r tŷ drw'r dydd.
Ar ôl iddo fe ddod gartre, ymolch a chael bwyd,
dodd e'n dda i ddim. A fi'n meddwl da i ddim.
Wel, ar wahân i gysgu.

Fi'n cofio ca'l *chat* gyda Rachel Phillips odd
yn byw drws nesa i ni. Rodd y ddwy ohonon ni
ar stepen y drws un bore ar ôl i'r dynion fynd i'r
gwaith. Am ryw reswm, trodd y sgwrs rownd i
shwd odd y ddwy ohonon ni'n dod mla'n 'da'n
gwŷr ers i ni ddod i'r Coal House.

'Wel, dw i'n credu bo fe wedi rhoi cusan i
fi unwaith neu ddwy cyn mynd i'r gwaith,'
meddwn i.

'Yr holl *layers* o ddillad 'na yw e,' medde hi.

Ro'n i'n gwbod am beth rodd hi'n sôn! Bydde
fe siŵr o gymryd hanner awr i dynnu pob pilyn
o ddillad. Rodd popeth yn drwchus a lletwith. A
dyw hi ddim gwerth neud 'ny am bum munud
o sbort, yw e nawr?

'Ac ar ben 'ny 'fyd,' wedes i wrthi, 'beth am y
plant yn y tŷ trwy'r amser. A ma lojer 'da fi!'

'Shwd yn y byd o'n nhw'n llwyddo go iawn nôl yn 1927, dw i ddim yn gwbod,' medde Rachel.

'Fi'n cofio dod lawr un bore ar ôl tamed bach o shwd mae heddi, a gweld Mr Michael y lojer yn sefyll ar bwys y tân. Wel, do'n i ddim yn gwbod beth i' weud. Gofynnes i iddo fe odd e wedi clywed 'sŵn' yn ystod y nos, heb neud pethe'n rhy amlwg, gobeithio. Na, na, dim byd, medde fe, yn ddigon poléit. Ond rodd y wên fach ar ei wyneb e'n awgrymu bod e'n gwbod yn iawn beth odd wedi bod yn mynd mla'n. Ro'n i mor *embarrassed*!'

'Bydden nhw wedi ca'l lojers yn gyson yn yr hen ddyddie,' medde Rachel. 'Ac wedi ca'l llwyth o blant 'fyd. Bydde llond tŷ mewn tai *two up, two down*. Mae'n anodd credu shwd o'n nhw'n gallu ca'l amser i ga'l cymaint o blant heb sôn am y llonydd i'w creu nhw. Ond, 'na fe, fel mae'r *handbook* y'n ni wedi'i ga'l yn dweud yn glir, os ydi'r dyn yn moyn, wel ma'n rhaid i'r fenyw ei blesio fe!'

Rhaid cofio hefyd bod camerâu bob man drwy'r tŷ i gyd. Un diwrnod, clywes i sŵn celfi'n ca'l eu llusgo ar hyd llawr y stafell wely. Ar ôl mynd lan, gweles i fod Cerdin wedi symud y wardrob mla'n yn ddigon pell fel nad odd y camera yn gweld dim ond cefen y wardrob.

Brilliant! Nes bo fi'n dweud wrth Joe Cartwright, drws nesa ond un.

'*Oh, I just put my cap over our camera.*'

Ond 'na fe, yr un job odd e'n neud.

Ches i ddim hyd yn oed cusan ar un diwrnod sbesial iawn i fi. Fy mhen-blwydd yn 40 a ro'n i yn y Coal House. Ar y bore hwnnw, bant â'r dynion i'r gwaith fel arfer yn gynnar iawn yn y bore. Ces i gusan pen-blwydd 'da'r lleill wrth iddyn nhw gerdded heibio'r tŷ ar y ffordd i'r gwaith yn y bore. Beth wna'th Cerdin? Codi llaw arna i, cerdded ar draws y clos a gweiddi pethe fel '*Have a nice day darling*!' a '*I hope my supper will be ready when I get home*!' A gwên fawr ar ei wyneb e. Rodd e'n gwbod beth odd e'n neud.

Ond, mae'n rhaid i fi ddweud, dyna'r pen-blwydd gore i fi ga'l erioed. Rodd e mor sbesial. Dim ond tri theulu oedd yn byw yn Stack Square a phob un wedi ca'l ei roi yno gyda'i gilydd ar gyfer y rhaglen. Ond rodd ysbryd eitha agos rhyngddon ni. Trodd hwnna'n ysbryd arbennig iawn ar ddiwrnod fy mhen-blwydd i.

Heb yn wbod i fi rodd plant y tri theulu wedi bod wrthi'n paratoi syrpreisys ers rhai dyddie cyn y pen-blwydd. I ddechre, fe dda'th pob un ohonyn nhw â chardie draw i fi. Rhai ro'n nhw wedi'u gneud eu hunen, wrth gwrs, achos dodd dim siop yn gwerthu cardie yn unman. Rodd neges wahanol ar bob un ac rodd pob un o liw a siâp gwahanol.

'*Happy Birthday, 1927*' odd ar y garden gynta i fi dderbyn. Katie dda'th â hon yn gynnar yn y bore. Ac fel mae'n digwydd, dodd dim ysgol i'r plant y diwrnod hwnnw chwaith achos bod y *boiler* wedi torri. Rodd hwnna'n golygu eu bod nhw i gyd gartre drwy'r dydd, felly rodd hwnna'n neis 'fyd.

'*Where's the birthday girl then?*' Dyn y cart llysie!

'*What's it like to be 40 then?*' Shwd odd e'n gwbod tybed?

Ond dyn busnes ddath ar ddiwedd y dydd ac rodd e am gymryd mantais o'r ffaith taw 'mhenblwydd i odd e.

'*Do you want to buy some sweets today, Debra? Two pennies for a bag or five pennies for chocolate. Which one are you having?*'

Wel, y siocled amdani. Rhyw *treat* bach i'w fwynhau yn ystod y dydd. Dyna beth odd siocled neu losin yn y dyddie hynny. Dodd dim un ffordd y gallen ni ga'l rhywbeth fel 'na bob dydd. Ond rodd esgus 'da fi'r diwrnod hwnnw!

Yn ôl yr arfer ar ddiwedd y dydd, fe dda'th y dynion o'r gwaith. Ac odd, rodd bwyd ar y ford i Cerdin fel ar bob diwrnod arall. Dodd dim o'r fath beth yn bod â cha'l hoe fach ar ddiwrnod arbennig. Bywyd yn ôl y drefn arferol odd hi. Wel, bron â bod. Fe ddigwyddodd rhywbeth go anarferol y noson honno. Fe gafodd Cerdin fàth. Neu y peth agosa at fàth i unrhyw un ohonon ni ei ga'l ers dod i'r tŷ!

'Rodd rhaid i fi neud ymdrech arbennig ar ben-blwydd Debra,' meddai Cerdin wrth dynnu ei grys yng nghanol y sgwâr wrth y pwmp dŵr. 'Rodd y dŵr yn rhewi. Ond rodd e'n deimlad neis galler ca'l hanner bàth fel 'na. A 'na beth odd ffys ar y sgwâr! Pawb yn pipo drw'r ffenestri a wherthin am fy mhen i'n sefyll yn hanner porcyn ar bwys y pwmp dŵr.'

Ond gorfod i fi neud un peth i helpu Cerdin. Un peth anarferol iawn i fi! A hyd heddi, fi'n dal ddim yn siŵr pam rodd yn rhaid i fi ei neud e. Rodd rhaid i fi olchi ei glustie fe. Ar fy mhen-blwydd yn bedwar deg, 'na lle ro'n i'n sgrwbo *fflat out* i neud yn siŵr bod y ddwy glust yn sheino. Do'n i erioed wedi gwneud hynny iddo fe cyn hynny. A beth wedodd e wrth y camera ar ôl i fi neud 'na iddo fe?

'I've never had so much love from her in all my life!' Cheek y diawl!

Tynnodd e'r stops i gyd mas y noson honno. Mewn â fe i'r tŷ wedyn a siafo gyda'r rasel *cut-throat*. A 'na beth buodd e bron â neud 'fyd!

Rodd gwaed ym mhobman a chwte ar draws 'i wyneb e. Ond, fe wna'th e ymdrech ar ddiwrnod fy mhen-blwydd. Whare teg iddo fe.

Ar ôl i bawb ga'l eu swper yn ôl yr arfer, da'th pawb at ei gilydd wedyn i ddathlu'r pen-blwydd. Rodd pob un ohonon ni yn yr un tŷ. Tipyn o gamp yn ei hunan am fod y tai mor fach. Ond anghofia i byth mo'r noson honno.

Rhoddodd y plant eu hanrhegion i fi. Rodd yn amlwg eu bod nhw wedi dod at ei gilydd ddyddie cyn y pen-blwydd a gwneud yr anrhegion â'u dwylo eu hunain. Rodd rhai wedi'u gwneud mas o *tapers* canhwylle ac un wedi'i wneud mas o ŷd wedi'i blethu. Gwaith brodwaith wedyn yn dweud 'Pen-blwydd Hapus'. Jyst y peth galle pobol ei neud pe baen nhw'n byw mewn cymuned heb deledu. Ac wrth gwrs rodd hyn yn wir yn 1927.

Rodd y ffaith eu bod nhw wedi meddwl am wneud y pethe hynny i gyd ac wedi gneud ymdrech arbennig yn eitha sbesial, a dweud y lleia. Rodd rhai wedi bod wrthi'n cwcan hefyd a da'th cacen â 40 arni hi mas o'r Rayburn yn dwym neis. Er ei bod hi'n amser anodd ar bawb, yn enwedig i un o'r teuluoedd odd yn ennill llai na'r gweddill ohonon ni, dodd dim dal nôl ar y dathlu.

Digon o fwyd ffres, wedi'i goginio ar y

diwrnod yn y fan a'r lle. Poteli o gwrw cartre hefyd a'r rheiny'n gwthio'r dathlu yn ei fla'n.

Yn lwcus iawn, rodd piano yn nhŷ'r Cartwrights, ac fe a'th eu dwy ferch nhw ac Angharad ni at y piano a dechre canu. Wel, ro'n i'n teimlo'r dagre'n cronni!

'Ceisiwch yn gyntaf deyrnas ein Duw, a'i gyfiawnder ef.'

Lleisie Angharad a Gwen, a'i chwaer wrth y piano. Sŵn hyfryd yn llanw un o stafelloedd bach y *two up, two down*. Da'th tro pawb arall i ganu wedyn ac rodd lleisie'r un ar bymtheg ohonon ni'n bwrw'r nenfwd, y llawr a phob wal yn y tŷ. Rodd canu 'Calon Lân' yn arbennig. Fe wnaeth pawb yr ymdrech i neud y noson mor Gymraeg ag rodd hi'n bosib ac rodd hwnna'n rhywbeth pwysig iawn i fi. Dim ond ni odd yn Gymry Cymraeg ond rodd pawb arall wedi gneud eu gore'r noson honno.

Erbyn diwedd y noson, un ymadrodd Saesneg odd i'w glywed 'da fi ar y camera.

'*I wouldn't have it any other way!*'

Ma hwnna'n wir. Rodd y tri theulu odd wedi ca'l eu taflu at ei gilydd yn y Coal House wedi rhoi'r cwbl posibl. Rodd pobol y cwmni teledu yn dweud bod 'creadigrwydd naturiol' wedi ca'l ei ddangos y noson honno. Pawb yn mynd ati gyda'u dychymyg i neud pethe gyda'u dwylo eu hunen.

Rodd e'n ddigon i ddod â'r dagre i'r llygaid, mae'n rhaid dweud. Pen-blwydd i'w gofio! A do, fe ges i gusan 'da Cerdin 'fyd cyn diwedd y noson!

9. MERCH Y TEULU

Angharad

DEUDDEG OED O'N I'N mynd i mewn i'r Coal House. Fi odd yr unig ferch yn 'yn teulu ni ac mae'n rhaid dweud, rodd hi'n anodd iawn ar y dechre. Anghofia i byth y diwrnod cynta pan gerddon ni i mewn i'r tŷ. Yr unig beth ro'n i'n gallu 'i neud odd cerdded o gwmpas heb ddweud llawer a jyst edrych. Edrych ar bopeth sawl gwaith.

Man hyn y bydden ni'n mynd i fyw! Dw i'n credu taw edrych mla'n i weld shwd bydde pethe'n gweithio mas odd y teimlade cynta. Ond newidiodd hwnna'n eitha clou. Da'th y crisis cynta ar y diwrnod cynta.

Gofynnais i Mam am wydred o sudd oren.

'Do's dim sudd i' ga'l 'ma, Angharad fach. Dim ond dŵr o'r pwmp ar y sgwâr.'

Dw i'n cofio 'i hateb hi'n glir. Mae Mam yn un dda am dynnu co's pawb a dyna o'n i'n meddwl rodd hi'n neud ar y pryd 'fyd. Felly wnes i ddim talu fawr ddim o sylw. Ond yn raddol bach, da'th hi'n amlwg. Rodd Mam yn dweud y gwir. O na! Dyna'r unig beth dw i'n hoffi yfed gartre yw sgwash oren. Felly rodd hi'n anodd dechre meddwl am fynd trwy ddiwrnod heb allu ca'l un gwydred bach. Ond dodd dim siawns o gwbl. Odd, rodd mam yn dweud y gwir, ac rodd yn rhaid i fi dderbyn hynny.

Shwd 'nes i ymateb? Gorwedd ar y gwely a gwrthod dod lawr i ga'l bwyd yr un pryd â phawb arall.

'Angharad, dere i ga'l bwyd.' Mam yn gweiddi o'r gegin. Ond beth wnes i odd gorwedd yn dawel ar y gwely a chadw'n ddigon pell oddi wrth bawb arall.

Falle taw rhywbeth bach odd y ffaith nad o'n i'n gallu ca'l sgwash. Ond dw i'n credu taw dyma shwd sylweddoles i bod newid mawr yn 'yn bywyde ni yn digwydd y foment honno. Bues i'n dawel am rai dyddie. Ond 'nes i ddim gwrthod byta am gyfnod mor hir â hynny. Dim gobeth.

Y ffordd arall 'nes i gadw'n dawel am beth amser odd drwy helpu gyda'r jobs rownd y tŷ. Ar y rhaglen deledu ma fe'n dangos pawb yn neud pethe gwahanol. Dw i'n cofio Gethin yn brwsio'r llawr. Finne'n ishte ar y gadair a Gethin yn brwsio rownd 'y nhraed i.

'C'mon, Angharad. Ma rhaid i ti neud dy siâr!'

Fi'n cofio Mami yn dweud hynny wrtha i

73

sawl gwaith. Nid mod i ddim ishe helpu. Ro'n i'n barod iawn i neud hynny. Ond rodd popeth mor wahanol. Rodd popeth yn ormod i fi.

Des i dros hwnna ar ôl rhai dyddie. Un peth mawr wna'th fy helpu fi odd y plant eraill. A hefyd Stack Square, o'dd yn tynnu pawb at ei gilydd. Dim ond clos o flaen rhes o dai odd gyda ni fel lle i chwarae. A dyna odd Stack Square. Ond rodd e'n fwy na digon. Ro'n ni mas yn yr awyr agored drwy'r amser. O'r bore bach tan y nos, os nad odd ysgol. Rodd hi'n eitha doniol achos rodd pob un ohonon ni'n frwnt drwy'r amser. Dodd hi ddim yn bosib i ni fod mor frwnt â hynny gartre. Fydden i ddim ishe bod, ond rodd hi'n wahanol fan 'na.

Rodd yr ieir a'r moch yn bwysig hefyd. Ar un adeg, rodd problem achos bod yr ieir ddim yn dodwy yn iawn. Rodd fel petai un neu ddwy ohonyn nhw'n dodwy, ond do'n ni ddim yn siŵr pa rai.

'Angharad, dere 'ma.' Llais Gethin yn sibrwd arna i. 'Fi'n credu bo fi'n gwbod pa iâr sy'n dodwy.'

Es i draw ato'n llawn cyffro. Ar ôl edrych yn ofalus a gwylio'r ieir am beth amser, fe wnes i sylweddoli taw iâr Gethin odd yr unig un odd yn dodwy. Fe wnes i ei dilyn hi i mewn i'r adeilad lle rodd bwyd yr anifeiliaid yn ca'l ei gadw a gweld ei bod wedi dodwy pedwar wy. Newyddion da iawn i ni fel teulu. Ni odd pia'r unig iâr odd yn dodwy wye.

Mewn un cornel tawel wrth un o'r siedie glo, dwedes y stori ar gamera gan sibrwd yn dawel bach o'r dechre i'r diwedd. Do'n i ddim ishe i neb arall glywed ein cyfrinach. Yna, yn dawel bach, fe es at Mam a dangos yr wye iddi a dweud y stori i gyd wrthi.

Rodd angen gweithio mas beth i'w wneud nawr. Cadw pedwar wy neu rannu'r pedwar gyda'r lleill. Am hanner eiliad, fe wnes i feddwl am gadw'r wye, ond rodd yn amlwg taw'r peth iawn i' neud mewn gwirionedd odd eu rhannu. Ac rodd yn deimlad neis iawn gallu mynd at y teuluoedd eraill a rhoi wy yr un iddyn nhw. Dodd dim gobaith rhannu pedwar wy'n gyfartal rhwng tri theulu wrth gwrs. A tybed pwy y'ch chi'n meddwl gafodd y pedwerydd wy?

Rodd yr ysgol yn od hefyd. Do'n i ddim yn lico'r adeilad na'r dosbarth. Pawb yn ishte mewn seddi unigol caled y tu ôl i ddesgie mewn rhes. Od iawn. A dodd dim hawl gyda ni i ddewis 'yn sedd. Mr Michael, yr athro, odd yn dweud wrthon ni lle i eistedd. Maths odd y pwnc gwaetha. A dweud y gwir, ro'n i'n ei gasáu. Rodd delio gyda'r arian gwahanol yn ddigon. Beth yw *shillings*, beth bynnag? A pham rhoi'r llythyren 'd' ar ddiwedd swm o arian?

Dodd Saesneg ddim mor ffôl. Rodd gen i fwy o grap fan'na ac fe ges i farc uchel yn Saesneg, 85. Rodd hwnna'n deimlad neis.

Dau beth dw i'n credu fydd yn aros gyda fi o'r cyfnod yn y Coal House.

Un peth odd 'yn bod ni'n ca'l digon o gyfle i ganu. Canu gyda merched y Cartwrights o gylch y piano, yn enwedig ar ben-blwydd Mam. Canu yn y cyngerdd sbesial gawson ni. A chanu yn yr adeilad odd yn ca'l ei alw'n *diary room*. Fan'na ro'n ni'n mynd i ddweud shwd ro'n ni'n teimlo. 'Run peth â *diary room Big Brother*, ond dodd dim llais mawr o bell yn galw arnon ni i fynd mewn yno. Un tro, fe es i mewn i'r stafell, eistedd ar y gadair siglo yno a jyst canu cân Sbaeneg o'r dechre i'r diwedd heb siarad gair.

Ond yr un peth arbennig arall fydd yn aros yw'r ffrindie 'nes i gyda'r plant eraill. Bydda i'n eu cofio nhw am byth.

10. AR ÔL GADAEL Y COAL HOUSE

Y teulu'n edrych yn ôl

DYNA STORI'R TEULU GRIFFITHS yn eu geiriau eu hunain. Ond mae un bennod ar ôl.

Yn sydyn reit, daeth 26 diwrnod o fyw nôl yn 1927 i ben i'r tri theulu yn Stack Square. I Cerdin, Debra, Steffan, Angharad a Gethin, roedd hi'n amser dechrau meddwl am symud nôl i Aberteifi ac i'r unfed ganrif ar hugain. Ac er gwaethaf yr amser anodd gafodd y pump ohonyn nhw yn wynebu mynd i fyw nôl yn y gorffennol am y tro cyntaf, doedd gadael ddim yn mynd i fod yn rhwydd chwaith.

'Yma, fan hyn, odd ein cartre ni am bron i fis.' Dyna sut roedd Debra'n edrych ar y sefyllfa. 'Ein tŷ ni odd e. Dyna odd 'yn cartre ni. Ni odd bia fe. Rodd teimlad cryf wedi codi dros yr wythnose ro'n i'n byw yn y tŷ.'

'Ma hynna'n ddigon gwir,' ychwanegodd Cerdin. 'Dw i ddim yn credu bod dim un ohonon ni'n pump wedi disgwyl mynd trwy'r profiade aethon ni drwyddyn nhw. Fi'n cofio sefyll yn y stafell fyw yn Rhif 6 yn ystod un o'r dyddie cynta. Rodd Debra'n trio penderfynu beth odd yn y jar ar y ford. Dodd hi ddim yn siŵr odd hi i fod i gwcan beth odd ynddo fe, neu ei fyta fe fel rodd e, neu falle taw rhywbeth i'w fwydo i'r ieir odd e. Dodd dim ots 'da fi. 'Na i gyd ro'n i'n galler gneud odd edrych rownd ar bopeth odd o 'nghwmpas i a dweud dro ar ôl tro,

"Mae e fel hunlle wedi dod yn wir. Alla i ddim ei gredu fe. Dw i erio'd wedi ca'l profiad tebyg i hyn o'r bla'n."

'Dro ar ôl tro. Dweud y geirie rownd a rownd. Gyda llaw, llond jar o *hops* odd yn llaw Debra, i neud cwrw cartre. Ond dodd dim un ohonon ni'n dau yn gwybod hynny ar y pryd.'

Ond diflannodd y teimladau hynny a chyn hir roedd Cerdin a gweddill ei deulu wedi taflu eu hunain i'w bywyd newydd yn y gorffennol. Felly, roedd gadael yn mynd i fod yn anodd.

Ond cyn camu mas i fyd y presennol, roedd un peth arall i'w wynebu. Roedd angen gwisgo'r dillad dydd Sul gorau er mwyn mynd i gyngerdd arbennig a oedd wedi'i drefnu yn y pentre. 1927 oedd blwyddyn yr Hunger Marches, pan wnaeth 400 o lowyr de Cymru orymdeithio i Lundain er mwyn protestio yn erbyn yr amgylchiadau roedden nhw yn gorfod eu hwynebu wrth weithio yn y gwaith glo. Er mwyn codi arian i'w helpu nhw fynd i Lundain, cafodd lot o gyngherddau eu trefnu.

Roedd dynion y tri theulu, a'r ddau grwt yn eu harddegau, wedi cael caniatâd i ymuno â'r côr meibion a fyddai'n cymryd rhan yn y cyngerdd. Roedd un fantais fawr ychwanegol i hynny. Chwarae teg i aelodau'r côr, fe wnaethon nhw smyglo ambell ddarn o losin neu siocled i Cerdin a'r lleill heb yn wybod i'r cwmni teledu. Tan nawr.

O flaen capel llawn ym Mlaenafon, canodd y plant 'Ar Hyd y Nos' gyda'i gilydd a chydadrodd darn o farddoniaeth Cymraeg yn ogystal. O'u cwmpas yng ngaleri'r capel, roedd y côr meibion gyda Cerdin a Steffan yn sefyll yn eu canol nhw. O'u cwmpas roedd nifer o bosteri'n cario sloganau tebyg i *Struggle or Starve* a *Poverty Kills*. Dyna oedd ysbryd y cyfnod. I gloi'r noson, canodd y côr 'Hen Wlad fy Nhadau' ac roedd pawb yn emosiynol iawn. Roedd Debra yn llefen a Cerdin yn ailadrodd i'r camerâu y tu fas i'r capel,

'Dw i ddim wedi dod nôl lawr i'r presennol 'to. Do'n i ddim ishe i'r cyngerdd orffen.'

Ond roedd yn rhaid i'r cyngerdd orffen. A hefyd roedd amser y teulu yn Stack Square, Blaenafon, 1927 wedi dod i ben. Cerddodd y tri theulu allan o'u tai am y tro olaf, a thrwy'r gatiau ar ben y clos oedd wedi'u cau i'r byd y tu fas am bron i fis. Yno yn eu disgwyl roedd torf o bobl yn curo dwylo a gweiddi. Dyna beth oedd croeso nôl i'r byd mawr ac i heddiw.

Roedd ceir yno'n barod i fynd â nhw o Flaenafon ac un syrpréis mawr yn aros y tri theulu ar ôl gadael y Sgwâr. Doedden nhw ddim yn gwybod lle roedden nhw'n mynd ond fe ddaethon nhw i wybod yn ddigon clou. I fyny â nhw ar hyd *drive* eang, coediog ac i westy moethus y Celtic Manor yng Nghasnewydd. A hyd yn oed ar ôl gwneud hynny, doedd Debra ddim wedi deall yn iawn beth oedd yn digwydd.

'Ar ôl dod mas o'r car, fe gerddon ni i gyd draw at y drws i fynd i mewn. Gwaeddes i draw at Cerdin a dweud wrtho, "Na, dim y ffordd 'na, ma carped coch fan'na i rywun arall. Ma'n drws ni fan hyn." A dechreues i gerdded i mewn drwy ddrws ar yr ochor. Ond, da'th hi'n amlwg yn ddigon clou, bod y carped coch i ni. Do'n i ddim wedi gweld carped o unrhyw liw ers bron i fis. Ro'n i'n ffili credu'r peth!'

A, meddai Cerdin, yn dal i deimlo'r wefr, 'Ar ôl i ni fynd i mewn trwy'r drws iawn, wel 'na beth odd sioc ar ôl sioc. I ddechre, rodd cyntedd y Celtic Manor yn fwy o ran ei faint nag unrhyw le ro'n i wedi'i weld ers mynd i Stack Square. Yn sicr rodd e'n ddigon mawr fel y galle pob tŷ yn y stryd ffito i mewn ynddo fe. Ac wedyn, y sioc fwya odd gweld bod 'yn teuluoedd ni i gyd yno. Wel, 'na beth odd emosiwn. Cwtsho a dagre a siarad drw'r trwch!'

Drwy fynd â phawb i'r Celtic Manor, bwriad y cwmni cynhyrchu oedd rhoi amser da i'r tri theulu ar ôl bod trwy brofiadau 1927. Roedden nhw hefyd am ddangos rhai o'r uchafbwyntiau yn y Coal House ar sgrin fawr o flaen pawb. Dyma hefyd gyfle i holi'r teuluoedd ar gamera am eu profiadau yn y Coal House.

Mae Debra yn cofio un cwestiwn yn arbennig.

'O'n i'n ffili credu nghlustie! Gofynnodd y cyflwynydd i fi, *"Tell me Debra, what's this about shushi grubi?"*

Ro'n i am i'r llawr agor a'n llyncu fi.

'I'm sorry,' medde fi, *'that's private between me and my husband.'*

'Not any more it's not. The whole country has shared your secret for the last few weeks. Tell us more!'

'Wel, do'n i ddim yn gwbod ble i roi fy hunan. "Shushi Grubi" yw'n term ni, Cerdin a finne, am ga'l mwynhau cwmni'n gilydd fel gŵr a gwraig mewn ffordd arbennig iawn, os chi'n deall beth fi'n meddwl! *Secret code* odd e.

Ond do'n i ddim wedi disgwyl ei fod yn *secret code* rhwng Cerdin, fi a rhai miloedd o wylwyr trwy Gymru gyfan!'

Sioc arall y noson honno oedd fod y tri theulu wedi gorfod eistedd i lawr gyda phawb arall a gwylio un rhan o raglen ola'r gyfres. Dyna'r tro cyntaf iddyn nhw weld unrhyw ran o'r holl raglenni fuodd ar y teledu tra oedden nhw yn y tŷ. Roedd yn brofiad rhyfedd iawn iddyn nhw i gyd.

Doedd Cerdin ddim wedi gweld y ffordd roedd Debra wedi gorfod byw yn y tŷ yn ystod y dydd. Doedd Debra ddim yn gwybod beth oedd Cerdin wedi gorfod neud dan ddaear, a doedd y rhieni ddim yn gwybod sut brofiad gafodd y plant yn yr ysgol. Doedd y teulu Griffiths ddim yn gwybod sut roedd y ddau deulu arall wedi byw yn ystod eu cyfnod nhw yn Stack Square chwaith.

'Rodd yr hanner rhaglen welon ni yn y Celtic Manor yn agoriad llygad,' meddai Cerdin wrth feddwl nôl am yr achlysur. 'Dodd dim syniad 'da fi beth odd y lleill wedi bod drwyddo fe. Un peth yw eu clywed nhw'n dweud eu straeon. Ond peth arall yw ei weld e dros 'ych hunan.'

Ystyriaeth arall oedd ar feddwl Debra wrth eistedd yn y Celtic Manor yng nghanol torf o deulu, ffrindiau a dieithriad.

'Rodd hi'n ddigon od dod yn gyfarwydd â gweld chi'ch hunan ar y bocs. Doedd dim rhaid becso am hynny yn y tŷ. Dod yn gyfarwydd â'r camerâu odd y dasg fan'na. Rodd y tŷ yn ddigon bach i ni fyw ynddo fe fel teulu, heb sôn am ga'l criw ffilmo yn 'yn trwyne ni byth a hefyd. Ond wedyn, ishte fan'na gyda'r rhai odd yn edrych arnoch chi ar y sgrin, wel, 'na beth odd od! Ond, ma rhaid dweud, dim yr *excitement* o fod ar y teledu odd y peth mwya a fwrodd ni'r noson honno, ond gweld â'n llyged ni'n hunen beth o'n ni fel teulu wedi gneud dros y mis diwetha yn Coal House!'

Byddai mwy o hynny i ddod wedi iddyn nhw fynd nôl gartre i Aberteifi. Diolch i'r drefn, doedd dim llawer o'r pethau allai fod wedi codi embaras yn cael eu dangos ar y sgrin.

Ond am y tro, mwynhau'r noson oedd piau hi. Ac roedd hi'n noson hwyliog, hyfryd. A'r pleser arbennig oedd gweld aelodau'r teulu. Ond roedd yn anodd hefyd i bob un o'r teulu Griffiths fuodd yn y Coal House newid. Newid o orfod byw gyda phrinder bwyd a phrinder arian 1927 ac wedyn bod yn rhan o'r wledd mewn gwesty fel y Celtic Manor, un o westai mwyaf moethus Cymru.

Roedd un peth penodol yn mynd trwy feddwl Debra.

83

'O'n i yn sefyll fan'na yng nghanol popeth, yn edrych ar gannoedd o bobol yn yfed a byta a siarad, a do'n i ddim ond yn gallu meddwl am un peth – wel, 'na wastraff! Rodd cyment o'r bwyd a'r diod 'na'n mynd i ga'l ei daflu ar ddiwedd y noson. Mor wahanol odd bywyd bob dydd wedi bod i ni. Gorfod torri'r bara mor dene fel y bydde fe'n para'n hirach, ffili ca'l ambell beth o'n i'n arfer 'i ga'l achos bod arian yn brin. Dw i ddim yn credu sen i wedi meddwl fel'na cyn mynd i mewn i'r Coal House. Do'n i ddim wedi cyrraedd gartre 'to ac rodd y profiad wedi dechre ca'l dylanwad arna i.'

I'r rhieni yn sicr, roedd byd y Celtic Manor y noson honno yn fwy afreal na gorfod mynd nôl 80 mlynedd i Gymru 1927.

Rhywbeth mwy ymarferol oedd wedi taro'r plant, fel mae Angharad yn esbonio.

'Do'n i ddim yn gallu byta bron dim o'r bwyd. Dodd dim byd yn bod arno fe, ond rodd fel se'n stumog i wedi shrinco ar ôl bod mor gyfarwydd â byta fel o'n nhw yn 1927.'

Wedyn, y noson yn y Celtic Manor, lle roedd gwely Debra a Cerdin fel se fe'n fwy na'u hystafell fyw yn Stack Square. Yna, y bore wedyn, aeth y teulu Griffiths adre i Aberteifi.

'Ar ôl sorto drwy'r domen o lythyron, rodd un peth amlwg ar feddwl y pump ohonon ni.

Rodd angen gweld y gyfres i gyd. A dyna beth wnaethon ni. Ishte yn y stafell fyw a gweld DVDs o bob rhaglen.'

I Cerdin, dyna pryd y dechreuodd popeth ddod at ei gilydd.

'Dyna pryd ro'n i'n gallu dechre neud sens o bopeth. Gweld y darne'n ffito gyda'i gilydd. Do'n i dim yn gallu stopo edrych ar y cyfan, un rhaglen ar ôl y llall, nes bod yn rhaid ca'l hoe fach am fod y cyfan yn ormod. Wedyn, mla'n eto i weld y gweddill.'

Roedd un digwyddiad yn benodol yn dod nôl i feddwl Cerdin wrth iddo gofio dod yn gyfarwydd â'r camerâu.

'Reit ar y dechre, rodd shot ohono i'n cerdded ar hyd y clos yn cario'r pot odd dan y gwely. Ma fe'n ddigon *embarrassing* cario pot beth bynnag ac yn ddigon anodd dod yn gyfarwydd â chael camera'n watsho chi'n cerdded. Rodd mynd trwy'r ddau beth 'run pryd yn embaras llwyr. Ma hynny'n amlwg yn y ffordd ro'n i'n ymateb ar y sgrin. 'Na gyd galles i weud, yn *self-conscious* uffernol, odd *"This is water. From our bodies!"* A wedyn, ar ôl ei arllwys i mewn i'r tŷ bach ar ben y clos, cerdded nôl at y camera a dweud rhywbeth arall yn fy hurtwch. *"'They're lucky it's number ones. No way am I carrying number twos. No way!"'*

Er ei fod yn hollol amlwg bod camerâu ym mhobman yn y Coal House, roedd hi'n glir nad oedd hyn ar feddwl Cerdin drwy'r amser. Daeth hynny'n amlwg iddo fe hefyd wrth weld y rhaglen nôl yn Aberteifi.

'Wedes i mewn un man, pan o'n i'n gorfod disgrifio'r job o'n i'n neud fel arfer, bo fi'n delifro olew ac os odd popeth wedi cwpla'n gynnar bydden i'n ca'l nap bach yn y cab yn y pnawn. 'Nes i ddim meddwl y bydde'r bòs yn gweld hwnna. 'Na beth twp. Rodd e bown o'i weld e!'

Roedd rhywbeth arall nad oedd Cerdin yn meddwl y byddai e'n ei weld.

'Mewn un shot, ar ôl i ni ddechre deall shwd odd ca'l digon o ddŵr i ga'l bàth ar ddiwedd shifft dan ddaear, fe gerddes i o'r stafell fyw i gefn y tŷ yn borcyn. Rodd pawb yn gweld popeth, o'r cefen! Wel, wrth weld hynny rodd ribidirês o bobl yn mynd trwy'n meddwl i. A'r bòs yn un o'r rheina. Fydde neb byth yn disgwyl gweld 'y mhen ôl i.'

Daeth sioc i Debra wrth edrych ar wefan *Coal House* nôl adre.

'Wel, i ddechre, rodd yn sioc gweld faint o bobol odd wedi bod yn cysylltu a gadael negeseuon. Rodd e'n anodd credu. Anodd credu bo ni fel teulu wedi rhoi rhywbeth i gyment o bobol edrych arno fe ar y teledu. Bo ni wedi bod yn rhan o orie gwylio teledu cyment o bobol trwy Gymru. Ma hwnna'n beth mawr i' sylweddoli. Odd e i fi, 'ta beth.

'Y sioc arall, mwy doniol, odd gweld cymaint o gyfeiriade at "shushi grubi"! A phobol yn dweud pethe fel, *"We're doing a Debra and Cerdin now. It's shushi grubi time!"* Boncers!'

Dim ond un peth trist a diflas darodd Debra. Sef y profiadau y buodd yn rhaid i Gethin fynd trwyddyn nhw yn yr ysgol.

'Y peth anodda i fi, heb ddim un dowt, odd gweld y rhan lle rodd yr athro wedi gweiddi ar Gethin a dweud *"Don't use your fingers. We'll chop them off!"* Ro'n i bwyti sgrechen. Wrth gwrs, rodd Gethin wedi dweud wrtha i'n syth pan dda'th e nôl o'r ysgol. Ar y pryd, neud yn siŵr bod Gethin yn iawn odd yn bwysig. Ond rodd ei weld e ar y teledu wedi corddi fi'n wa'th. Wna'th hwnna ypseto fi'n fawr. Se Mr Michael wrth law, se fe wedi gweld pa mor ypset ro'n i 'fyd.'

Yn ystod eu cyfnod yn y Coal House, mae'r tri phlentyn yn dweud taw newid iaith oedd un o'r pethau anoddaf iddyn nhw orfod ei neud. Roedd siarad Saesneg yn yr ysgol yn brofiad cwbl newydd.

Ond, i'r pump ohonyn nhw, roedd yr holl

87

brofiad yn arbennig iawn. Mae dros flwyddyn ers hynny ac mae'r profiad yn dal i gael dylanwad ar eu bywydau.

'Dw i'n gwbod bo fi'n edrych ar bethe'n wahanol nawr,' meddai Debra. 'Pan ddes i gartre gynta, dros flwyddyn yn ôl, odd, rodd hi'n neis ca'l ffwrn a pheiriant golchi llestri a phethe fel'na. Nawr os bydd y ffwrn yn torri, galla i fynd i'r Chinese. Ond, ma ca'l y profiad o fyw yn gwbod os odd y tân yn mynd mas, fydde dim bwyd, yn newid 'ych ffordd chi o edrych ar bethe. Fi'n gwerthfawrogi nawr bethe ro'n i'n cymryd yn ganiataol o'r bla'n.'

Cerdin sy'n cael y gair ola.

'Fi'n browd iawn o'r ffordd a'th y teulu trwy bob un o brofiade'r Coal House. Fydden i byth yn credu y bydde Debra wedi galler lladd cwningen a iâr, heb sôn am eu paratoi nhw, eu cwcan a'u byta nhw 'fyd. Ma'r ffordd ma'r plant wedi byw trwy newidiade mor fawr – dim gwres canolog, dim teledu a phethe fel'na, a newid iaith – ond eto i gyd ddim yn conan a bod yn hapus drw'r cyfan. Wel, fi'n prowd iawn ohonyn nhw. O ie, dyw'r clawstroffobia ddim wedi diflannu'n llwyr, yn anffodus.'